D1292339

Biblioteca Era

Eduardo Antonio Parra

◆

Tierra de nadie

Eduardo Antonio Parra

◆

Tierra de nadie

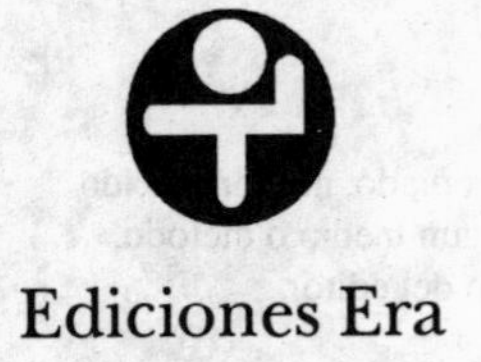

Ediciones Era

La redacción de este libro fue
apoyada por una beca del Fondo Nacional
para la Cultura y las Artes

Primera edición: 1999
Primera reimpresión: 2001
ISBN: 968.411.453.2
DR © 1999, Ediciones Era, S. A. de C. V.
Calle del Trabajo 31, 14269 México, D. F.
Impreso y hecho en México
Printed and made in Mexico

para Elia

Índice

◆

◆ I ◆

La piedra y el río

◆

para Leonardo da Jandra

Su rostro se fue chamuscando en años padecidos de sol a sol, entre el aire seco y las nubes de polvo que oscurecen la ribera; lo surcaron arrugas trazadas con signos pletóricos de historias. Al abandono y la soledad ella contestó con la paciencia. A las ansias de mujer que le brotaban del vientre interpuso la fe en el regreso del marido. Recibió la vejez con la terca resignación que todos los días la lleva hasta la orilla del río a escudriñar sin descanso esas tierras que antes también fueron México. Alivia la espera con la sabiduría hurtada a sus ancestros, y con esa otra, más antigua, dolorosa, que le susurran las aguas en esta corriente donde lo único inmóvil es el tiempo.

–¿Por qué siempre estás viendo el río, Dolores?

–No lo veo: lo oigo.

–¿El ruido del agua en las piedras?

–No. Lo que trae el agua: voces que vienen desde muy lejos.

–Yo no oigo nada.

Ha visto cruzar a miles de paisanos desde su asiento de piedra, peregrinos en busca de un paraíso perdido para nosotros hace más de un siglo. Pero ella no entra en la corriente: un temor religioso le impide mojar siquiera la punta de sus dedos en el Bravo. Aun así la gente ha creído verla caminar sobre las aguas, y al confundirla con ánima en pena, mujeres y niños se alejan de ella para meterse rápido bajo la protección de sus techos. Aunque los hombres la respetan y vienen por su bendición antes de partir a la pizca, nadie supo nunca ir más allá de su misterio; nadie supo entender el dolor de su figura flaca, su mirada absorta, su expresión de eternidad. Sólo los gatos la acompañan siempre, frotan el pelambre del lomo contra sus enaguas gastadas, y maúllan lambiscones cuando ella saca un itacate lleno de pellejos. Al caer el sol, las diminutas sombras que la siguen de vuelta al jacal, con sus ascuas brillantes, colman los ecos legendarios que se abren a su paso.

–¿Por qué te tienen miedo las mujeres, Dolores?

–No me tienen miedo. Nomás desconfianza. Es que no me conocen.

–¿Y los niños?

–Tú eres niño, ¿me tienes miedo?

–No, yo no.

Dicen los viejos que ella es la única que vio poblarse las dos orillas. Que ha vivido siempre en el mismo lugar desde que estas ciudades eran unos tristes caseríos. Con los años vio desparramarse por el horizonte gabacho los pastizales de los ranchos ganaderos, mientras acá, al sur del río, un desierto rabioso llegado de quién sabe dónde fue comiéndose la tierra buena, hasta dejarnos estos páramos que a fuerza de la poca agua se salpican de chaparros y matorrales. Dicen que sobrevivió a las crecidas que arrasaban todo y sólo respetaron su choza. También ha visto todas las sequías, cuando la orilla se ensancha y el Bravo pierde hasta su nombre y se convierte en un chisguete lastimoso, hilillo de cristal torturado por este sol mordiente, a punto de evaporarse entre las piedras. Rara mezcla la de la región: inundaciones y desierto, ahogados y muertos de sed. Ella estuvo ahí el día en que se fueron los lanchones y llegaron los puentes; cuando los gringos trajeron sus carreteras desde el norte, y los edificios empezaron a crecer cada vez más altos, como nunca crecieron los cerros ni los árboles en estas tierras.

–¿Cuántos años tienes, Dolores?

–Muchos, mi niño; tantos que ya ni sé.

–¿Eres muy vieja?

–Mucho.

–¿Y yo voy a ser tan viejo como tú algún día?

–Cuando tengas mis años.

–¿Y para qué quieres tantos años?

–Para vivirlos, para oír historias, para ver cosas, para recordar... lo vas a saber cuando llegues a viejo.

–Yo no quiero ser viejo.

Unos la creen bruja, practicante de artes negras, inmortal gracias a los favores de no sé qué legión de demonios. Se dice que tiene más de ciento cincuenta años, que nació en el norte, pero que no quiso ser gabacha y vino con las familias que llegaron en busca de suelo mexicano a fundar la ciudad. Eso fue en el siglo pasado, después de la guerra que trajo la frontera hasta acá. Cargó con los huesos de los difuntos desde el otro Laredo y los enterró por el recodo, sin cruz, sin lápida. Desde entonces se quedó a vivir cerca de sus muertos y cerca del Bravo, donde habitan los diablos que le hablan y le cuentan cosas y le otorgan su poder. Los niños aseguran que es la mismísima Llorona, porque cuando el agua se retuerce acarreando gritos lastimeros, mucha gente jura que la ve inclinada sobre el río.

–¿Por qué dicen tantas cosas de ti?

–Así es la gente... ¿qué te han dicho?

–Que eres bruja, que tienes pacto con el chango, que es mentira que esperes a tu señor, que segurito ya se murió desde cuando...

–Ésas son mentiras, si mi Zacarías no viviera, el río ya me lo hubiera dicho.

–También dicen que estás loca porque hablas con el río. ¿Te habla el río, Dolores?

–Todos los días me cuenta cosas de los que se van al norte. Me avisa de los ahogados, de los que agarran a la pasada, de los que vuelven ricos, o más pobres...

Eso dicen por acá, pero yo la conozco y sé que es una vieja bondadosa que se ha pasado la vida ayudando a los demás mientras espera a su marido. Hace muchos años que su fama de mujer santa se regó por los estados del norte y el valle de Texas, y no falta quién venga desde lugares muy lejanos para que con su bendición les arranque los malos espíritus del cuerpo. Nadie puede negarle la autoridad de consejera de almas, sabia y poderosa. Los mojados la llaman "madrecita" y vienen a buscarla hasta su peña. Ella, seria, erguida a pesar de los años, les pasa una mano toda arrugas por la frente y murmura unas frases sin apartar los ojos de las tierras del norte, siempre esperando el regreso de su señor.

–¿Qué les dices a los hombres que se van, Dolores?

–Que se cuiden y los acompañe Dios, que vayan allá y recuperen algo, aunque sea un poco de lo que antes fue nuestro... que encuentren a mi Zacarías y le digan que aquí estoy, esperándolo siempre...

–¿Y por qué no vas a buscarlo tú?

–Porque es cosa de hombres cruzar al otro lado. Si la mujer los acompaña, echan raíces allá y nunca vuelven.

–Cuando sea grande voy a ir y lo voy a encontrar.

Pocos saben que su nombre es Dolores Cerrillo; para algunos es tan sólo la loca de la ribera, y casi todos la llaman "la estatua de sal". No se mueve nunca, dicen, es como una piedra: una piedra junto al río. La recuerdo casi desde que abrí los ojos; siendo yo chamaco, ella ya era tan vieja como siempre. Me le acerqué, temblando de miedo, la mañana en que mi padre fue a pedir su bendición antes de marcharse a pizcar naranja en las huertas del gabacho. Como todos, él también clavó una rodilla en tierra y bajó los párpados al sentir esos dedos rasposos en la frente. La vieja musitó su plegaria y yo creí escuchar claras las palabras finales: "Vaya con Dios y tenga cuidado con el río de noche". Después mi padre me tomó de la mano y, acercándome a ella, dijo: "Madrecita, ahí le encargo a mi chamaco, vigílelo mientras yo ando lejos para que se haga todo un hombre". No contestó, pero por un momento la vi apartar la mirada del norte para reconocerme: una mueca que yo interpreté entonces como sonrisa tensó una línea oblicua entre sus labios, y el miedo abandonó mi cuerpo como si un golpe de aire se lo llevara. Mi viejo se largó esa noche para el otro lado, y a partir del siguiente día me convertí en otra estatua de sal, más pequeña, que pasaba todas las tardes cerca de la anciana.

No volví a escuchar su voz en muchos días, hasta casi olvidar su timbre y su cadencia. En verdad se asemejaba a una estatua: su silencio era pétreo, obstinado en convertirla en contemplación pura, mirada hundida más allá de este mundo. Pero Dolores habló de nuevo la tarde en que un par de mojados vino a ella en busca de bendición. Entonces las palabras "cuidado con el río" resonaron lejanas, iguales a las letanías de una oración antigua. Una voz susurrante la suya, que me hizo recordar el siseo del viento deslizándose suave entre los arbustos, sin agudezas, sin los chillidos cascados que uno esperaría de su figura decrépita. Al irse esos hombres, Dolores volvió a su mutismo y yo no me atreví a hablarle.

Pasaron muchos días, idénticos uno tras otro. Muy temprano dejaba el jacal donde viví con mi padre para, resignado, unir mi soledad de huérfano a la de esa anciana silenciosa. Dolores aparentaba ignorarme, mas al oír que me acercaba me tendía unas tortillas, o un pan medio duro, o un pedazo de cecina, sin verme, con indiferencia, como si yo fuera uno más de los tantos gatos que la acompañaban. Sólo cuando corría un poco lejos en persecución de un sapo, o para cazar a pedradas las lagartijas que abandonaban su madriguera, la sorprendía cuidándome tal como mi padre se lo suplicara, mirándome sin pestañear con el rabillo del ojo, y esa mirada tenía tanta autoridad que me obligaba a volver rápidamente a su lado.

Al extinguirse la luz del sol, después de repartir entre los gatos y yo los restos de comida, iniciaba su caminata de regreso a los linderos de la colonia. Al llegar a mi jacal se detenía, sólo un instante, hasta que yo cruzaba la puerta; luego la escuchaba irse con el corazón golpeándome duro dentro del pecho, lleno de angustia por quedarme solo enmedio de los ruidos de la noche. Dolores se iba y yo deseaba con todas mis ansias seguirla hasta su choza de paja, echarme a sus pies como cualquier gato para que sus ojos vigilantes ahuyentaran a los fantasmas que penan a lo largo de la frontera.

Una tarde, cuando casi oscurecía, me di cuenta de que Dolores continuaba con la vista fija en la corriente. Del cielo encapotado se desprendían ventoleras frías que al chocar con el suelo levantaban nubes de polvo. El río se transformaba en una multitud de remolinos, olas, espuma, ramas que de súbito emergían del fondo a la superficie, sólo para desaparecer inmediatamente, como si el agua se revolcara en su propio lecho. El sol dejó de existir y cayó la oscuridad sin que Dolores se moviera. Los silbidos del viento se hicieron entonces más fuertes, terribles, semejantes a alaridos humanos. Aquel miedo infantil, a punto de llegar al límite, me orilló a acercarme a la vieja y por primera vez interrumpí su silencio, urgiéndola:

–¿No nos vamos a ir?

Esas manos huesudas, correosas, primero palparon el aire y luego me empujaron hacia atrás; enseguida uno de los dedos le cruzó verticalmente los labios en señal de silencio. Pero yo no entendía ya ese lenguaje ajeno, inaccesible, de gestos y ademanes: el miedo me había aturdido. Cada segundo la oscuridad era más densa. A mi alrededor las sombras se distorsionaban, se volvían irreales: gatos corriendo en círculos, arbustos zarandeados por fuerzas desconocidas, el río degollando la noche con reflejos de una luz llegada de ninguna parte, y en el centro de todo la anciana, cuya sombra parecía agigantarse, estirarse hasta pender sobre la corriente, dando la impresión de estar colgada de una cuerda invisible. En ese momento la voz de Dolores sonó ronca:

–Escucha... el río quiere decir algo.

Las siluetas quedaron inmóviles. Las ráfagas del aire se tornaron perezosas, vacilantes. Del río se levantaban ahora unos gemidos tímidos, como si las gargantas de los remolinos fueran estranguladas por una mano profunda y agonizaran entre los suspiros de burbujas minúsculas. Tal parecía que la voz de Dolores hubiera apaciguado las furias nocturnas tan sólo ordenando un poco de calma para oír mejor. La noche se había vuelto de piedra: el río quieto, mineral; el viento inexistente; los gatos con el cuerpo unido a la tierra, silenciosos.

–¿Entiendes lo que dice?

La tormenta que tanto habían anunciado las nubes y el viento nunca llegó a desatarse. Dolores permaneció junto al río hasta la madrugada, y yo detrás de ella, sin moverme, asustado por el gemir siempre distinto de las aguas, unas veces doliente, otras iracundo. Cuando la luz de la luna conseguía filtrarse hasta nosotros, contemplaba en la vieja una mirada cambiante que pasaba del interés al asombro y luego a la conmiseración: Dolores asentía, se estrujaba los dedos, murmuraba oraciones, sonreía. Al desparramarse las nubes en el cielo, ya cerca del alba, me tomó de la mano y abandonamos la ribera seguidos por los gatos. En el camino, mientras me acariciaba la cabeza, intentó ocultar la expresión de lástima que la embargaba. Esta vez no me dejó solo en mi jacal: caminamos juntos a su choza y dormí, hasta bien entrada la tarde, a sus pies.

Me despertaron los maullidos de los gatos, cuando Dolores desdoblaba un pedazo de papel que contenía vísceras de pescado. Las esparció por el suelo y los gatos se lanzaron a disputar los despojos. En cosa de segundos todo se impregnó de un olor fuerte, agresivo. La vieja esperó a que el último animal terminara de alimentarse, y luego los sacó de la choza. El suelo se había salpicado con incontables lunares viscosos, de un rojo intenso y pestilente. Al verme reprimir un gesto de repugnancia, Dolores comenzó a echar tierra sobre los restos del pescado mientras decía:

–Que no te dé asco. Es bueno que la tierra se alimente también... por eso hay que enterrar todo lo que algún día estuvo vivo. Lo que no se entierra, de alguna manera se niega a morir...

Al decir la última frase giró la cabeza hacia el río y sus ojos se llenaron de lejanía por un instante, pero enseguida se volvieron hacia mí, al tiempo que de entre sus ropas sacaba una bolsa con dos bolillos rellenos de frijoles. Cuando terminamos de comer, me ordenó que la siguiera.

Entró al jacal que había construido mi padre. Sus pupilas recorrieron las cuatro paredes de madera apolillada, luego el colchón de paja y las demás cosas, como si quisiera grabarse para siempre su aspecto.

–Saca lo que quieras llevarte de aquí. Desde hoy vas a vivir conmigo.

No necesité más que una cobija vieja. Cuando le avisé a Dolores que estaba listo, ella revisó de nuevo y, tras encontrar un tablón mal puesto, con una fuerza de la que no la creí capaz, lo estiró hasta arrancarlo de cuajo. Con él se apalancó en una de las tablas bajas, usando todo el peso del cuerpo para empujar.

Una lluvia de tierra y basura cayó del techo y el cuarto empezó a tambalearse. Entonces Dolores me hizo salir y con el mismo tablón golpeó desde afuera uno de los improvisados postes, hasta que aquel hogar paterno se vino abajo levantando en su caída una ruidosa nube de astillas y polvo.

–¿Y cuando regrese mi papá dónde vamos a vivir, Dolores?

–Tu padre no va a volver, mi niño.

–¿Cómo lo sabes?

–Anoche me lo dijo el río.

Acaso la seguridad que irradiaba su presencia, esa sensación de estar a salvo bajo su techo o al alcance de su mirada, fue lo que amortiguó en mí la noticia al grado de no sentir dolor. O quizá fuera que en la niñez hasta la presencia de la muerte nos es increíble, y por lo tanto indiferente. O que en esa ocasión no pude creer en sus palabras, como por muchos años me negué a ver en el Bravo algo más que un torrente lleno de remolinos, destinado sólo a distanciar un país de otro, y no ese fantástico río de Dolores, cuyas voces, augurios e historias únicamente a ella le estaba permitido oír.

Lo cierto es que al lado de la anciana viví feliz el resto de mi infancia, esperando la llegada de esa edad en que los hombres pueden ir a correr el mundo. Durante aquellos años, Dolores hilvanó para mí su historia en frases parcas, anudadas con el sol de días interminables junto al río, hasta transmitirme todas las imágenes que acumularon sus ojos casi transparentes, los sonidos empozados en la profundidad de su memoria: la esperanza que el tiempo había trocado en miles de arrugas en esa su piel de hembra recia y solitaria.

Así supe de una pareja de jóvenes, separados por la necesidad de salir de la miseria, cuando Zacarías se enganchó como recolector de lechuga en el gabacho. Supe del escurrirse de los años a través de una Dolores con las carnes firmes y las caderas poderosas, blanco del asedio de machos ansiosos por morder su piel cobriza y tersa. Oí de sus labios la lucha emprendida entonces para tejer la firmeza de una fidelidad cifrada en el pronto retorno de Zacarías. Por sus ojos húmedos me enteré del flaquear de su esperanza, y de la recuperación de su entereza durante una noche de tormenta, cuando escuchó la voz del Bravo hablándole de viajeros que regresaban cubiertos de dólares, y de los que volvían más pobres a trabajar con su tristeza los llanos secos de México.

En esas tardes de sol y brisa aprendí que Dolores habitaba su propio tiempo, aparte del de los demás. Sin embargo, yo sí vivía en el transcurrir de todos y de pronto me vi convertido en un muchacho, con el porvenir abierto al norte. Ella fue la primera en darse cuenta:

–Ya viene siendo hora de que te vayas.

–Sí, Dolores.

–Prepárate. Dentro de unos días empiezan las próximas cosechas.

Me dijo adiós sin lágrimas, murmurando la misma bendición con la que despedía a los demás, una noche de cielo limpio y río de aguas poco profundas. Crucé la frontera y, al caminar por esa tierra extraña, mis piernas temblaron, inseguras; mas al volver la vista encontré la silueta de Dolores, un tanto difuminada por la lejanía, firme junto al río, vigilándome como cuando era niño. Entonces mis piernas recuperaron su fuerza y mis zancadas volvieron a ser largas y rápidas.

Mi vida en el otro lado fue igual a la de tantos compatriotas: siempre en tensión, oculto a los ojos de la migra, trabajando en plantaciones, o en la ciudad mientras no hubiera temporada de siembra o cosecha. Años de juventud seducida por la tierra de los espejos, los salones de baile infestados de rubias y jornales más o menos generosos. Durante los primeros meses busqué a Zacarías y a mi padre, pero nadie supo darme razón. El recuerdo de Dolores, que me asaltaba año con año al finalizar las temporadas de pizca, fue perdiendo consistencia; y el tiempo lo convirtió en la imagen de un sueño de la niñez.

Sin embargo, tras muchísimos años, volví. La ciudad que hallé a mi regreso era un laberinto desconocido: gente y automóviles plagaban las calles, el centro había chorreado casas y edificios a lo largo de la ribera; comercios, fábricas y maquiladoras proclamaban a gritos una bonanza jamás soñada en el pasado. Sólo los barrios más lejanos tenían un aspecto similar al que conservaba en la memoria. Caminé la orilla del Bravo, siguiendo una ruta dictada más por la curiosidad que por la nostalgia. Una luna rojiza y enorme incendiaba el fondo del río, las isletas, las fincas ribereñas del otro lado, los baldíos llenos de ratas y perros callejeros. Primero divisé el hueco donde estuvo la casa de mi padre: un solar pequeño que los vecinos habían respetado, dejándolo libre, como si hiciera las veces de jardín enmedio de un amontonamiento de chozas de adobe y cartón. Después me dirigí al sitio donde de niño pasaba los días con Dolores, despacio, tropezando a cada instante con recuerdos de la infancia, reconociéndolos, reviviendo en la mente mis correrías de chamaco. El tiempo, las crecidas del Bravo, las sequías, y acaso también los nuevos habitantes de la colonia, habían alterado el paisaje original: encontré rocas enormes cambiadas de lugar, la mayor parte de los matorrales habían sido barridos, otros crecieron hasta convertirse en árboles fuertes y nudosos. Al rodear un mezquite cuya frondosidad me asombró, un par de gatos salieron disparados hacia el río. Luego surgió ante mi vista la piedra en que Dolores se apoyaba para esperar a Zacarías. Detrás de ella, la anciana oteaba la oscuridad de la noche, como antes.

–¿Dolores? ¿Eres tú?

–¿Zacarías?

Su cuerpo se había encogido a la mitad de su tamaño, y sus movimientos acusaban una vejez increíble con su temblor y torpeza. Ahora se ayudaba con un bordón para sostenerse. Cuando se volvió hacia mí estuvo a punto de caer, pero corrí a tiempo para evitarlo; pesaba menos que un niño.

–¡Zacarías! ¡Has vuelto!

–Dolores, soy yo. ¿No me reconoces?

El desconcierto la hizo callar por unos segundos. Sus ojos, en los que las pupilas parecían haberse diluido, se abrieron de par en par tratando de reconocer mis rasgos a la luz de la luna. Entonces repasó con sus manos mi frente, mis mejillas, mi cuello, y al mismo tiempo que mi rostro infantil se perfilaba en su memoria a través del tacto, mi piel fue recuperando la sensación de sus dedos ásperos, fríos, maternales. Al concluir el reconocimiento la emoción brotó de su garganta:

–¡Eres tú, mi niño! ¡Es verdad! ¿Cómo pude olvidar que estabas de regreso?

–¿Ya lo sabías, Dolores?

–Sí, pero es que estoy tan vieja... ¿Ya cenaste? Tengo unos bolillos con frijoles, de los que te gustan.

Aunque era más parca de palabras que antes, su rostro se alegraba con una sonrisa al verme llegar a media tarde trayéndole un paquete de pellejos. Ella los diseminaba por el suelo mientras los gatos acudían a su alrededor restregándose contra sus piernas. Después comíamos los tacos, o lo que hubiera conseguido, ella recargada en la piedra, yo tendido en el zacate, cubriéndome el sol con su escueta sombra. Dolores había perdido todos los dientes y comía poco, apenas lo suficiente para aguantar la jornada completa a la orilla del Bravo.

Para continuar cerca de ella reconstruí la casa de mi padre. Los días se me iban en apuntalar postes, encimar ladrillos, afianzar láminas, y en dar varias vueltas al río para ver si Dolores necesitaba algo. Al terminar, quise hacer lo mismo con la choza de Dolores, pero me topé con su obstinación: ya lo hará Zacarías en su momento, me alegaba; mientras, ella seguiría durmiendo en el piso sobre su estera raída, rodeada por sus gatos.

Y en esa maroma que dio el transcurso de la vida, ahora era yo quien vigilaba a Dolores y le daba de comer y la encaminaba a su lecho cuando el cansancio hacía presa de ella por las noches. Se colgaba de mi brazo, dando pasitos cortos que marcaba con el bordón, en tanto emitía un bisbiseo agudo para llamar a los gatos. Si tenía humor para hablar, me alegraba un rato con sus historias hasta que, enmedio de una frase, un largo ronquido irrumpía en su garganta al mismo tiempo que sus ojos se quedaban entrecerrados e inmóviles. Entonces yo abandonaba la choza y daba un paseo por la ribera. Sentado en la roca de Dolores encendía un cigarro, y permanecía varios minutos preguntándome qué había pensado la vieja durante tantísimos años parada en ese lugar.

Una tarde, mientras Dolores terminaba de dar su bendición a un grupo de muchachos, sentí un cambio de intensidad en el agua. Fue como si la corriente disminuyera su marcha y enseguida la hubiese vuelto a acelerar, creando algunos remolinos. La anciana despidió a los jóvenes: "Crucen rápido". Los gatos dejaron de jugar y por un instante quedaron quietos, con la cola en alto. Me acerqué a Dolores. Tenía los ojos húmedos y la boca torcida en una mueca de inquietud. Murmuró algo semejante a una pregunta e inclinó el cuerpo hacia el río. Las manos que aferraban el bordón se tensaron con fuerza.

–¿Qué pasa, Dolores?

–No estoy segura... creo que viene una tormenta.

No obstante, en unos minutos el agua volvió a la normalidad y Dolores a su posición de siempre. De nuevo los gatos comenzaron a cazarse entre sí, a atormentar a cuanto insecto asomara entre la yerba. No corría viento, el sol ardía con mayor rabia que nunca, ninguna nube flotaba en el cielo. No una tormenta, siquiera una débil llovizna parecía imposible.

Anocheció y aún esperamos un par de horas la llegada de las nubes. Sólo cuando Dolores ya no pudo estar más de pie aceptó regresar a la choza.

–Voy al centro, Dolores.

–Sí, mi niño. Cuídate.

Encerrado en un salón de baile, me dejé aturdir de música y cerveza hasta que el último grupo guardó sus instrumentos. Salí del local dando tumbos y afuera me recibió un violento chubasco que ya desbordaba las banquetas. Era la tormenta que habían anunciado los remolinos. Pensé en la anciana: siempre que llovía abandonaba la choza para ir a la orilla. Busqué un taxi para volver de inmediato, pero el aguacero había dejado las calles en soledad.

Tuve que caminar bajo la lluvia, hundiendo los pies en charcos cada vez más hondos, soportando ráfagas de viento y agua empeñados en tumbarme. El río bramaba haciendo honor a su nombre, brincaba y se retorcía al chocar con alguna peña, tomaba por asalto las isletas y saqueaba matorrales y barría yerbas. Los árboles ribereños se curvaban por la fuerza del viento, resistiéndose a ser arrancados, y un miedo que no sentía desde chamaco se me incrustó debajo de la piel. De la corriente enloquecida se levantaron de pronto unos alaridos que desaparecieron de un golpe los efectos del alcohol en mi cabeza, pero a pesar del miedo seguí avanzando en busca de Dolores.

Llegué al amanecer –una tibia claridad que se insinuaba a través del nuberío ahora que la tormenta había cedido–, desvelado y muerto de fatiga. Entré en la choza de Dolores, llamándola, y la respuesta que obtuve fue un concierto de maullidos. Los gatos tenían frío, hambre, miedo; se enroscaban a mis piernas dificultándome el paso. Busqué entonces en la ribera. Junto a su piedra encontré el bordón, vertical, clavado casi hasta la mitad en la tierra húmeda.

–¡Dolores! ¡Dolores!

El agotamiento me rindió cuando el sol, aún pálido y sin fuerza, insertó un guiño entre las nubes sólo para esconderse por el resto del día en algún reducto del cielo. Tumbado en el lodo, de espaldas a la roca, dejé que las horas pasaran en una suerte de modorra en la que intenté apartar de mí la sensación de estar solo. Los gatos me rodeaban, enronquecidos de tanto maullar. Bajo aquella llovizna intermitente, mientras contemplaba como en sueños el río y las tierras gringas, me pregunté cómo soportó la anciana todos esos años de esperanza en la soledad, y cómo había reunido la entereza para dar fin a la misión que se impuso. ¿O acaso era que su tiempo había vuelto a fluir, rompiendo la inmovilidad a que ella misma lo había condenado?

Dolores había decidido dirigir sus pasos cansados hacia el devenir de ese torrente, sumergirse por primera y única vez en su lecho de aguas incansables.

Nunca encontraron su cadáver: el Bravo no devuelve lo que devora.

Los lugareños supieron de su desaparición, y enseguida dedicaron inventiva y fe a alimentar la hoguera de su leyenda: que la vieron flotar por encima de la corriente y volver con andar lento a ese sitio improbable en que nació, llevando en un atado los huesos de sus padres. Unos niños escucharon a otros niños huir de miedo cuando una legión de seres espantosos emergió del fondo del río para cargarla en andas hasta perderse en la oscuridad. Las mujeres dicen haber oído de un anciano, tan viejo como ella, que regresó por su mujer después de muchos años: se miraron con ojos casi ciegos, entrelazaron el temblor de sus manos, y caminaron por la ribera en un paseo sin fin hacia donde nace el río. Los mojados creen que no ha muerto, y su figura de madre peregrina continúa otorgando bendiciones a quienes buscan el sustento de los suyos más allá de la frontera.

Viejos, jóvenes y niños besan sus dedos en cruz y cuentan a quien quiera oírlo que Dolores Cerrillo, la loca de la ribera, la estatua de sal, se unió enamorada al río Bravo y goza con él una pasión que no es de este mundo, en un eterno devenir a través de hondonadas y recodos, isletas y peñascos, desiertos y praderas.

Que su cuerpo es de agua, y su voz un murmullo cristalino.

Que cuando hay tormenta abandona la corriente, y en los hilos de la lluvia se delinea su silueta junto a la de un hombre maduro, a quien crió como hijo suyo y quien, mirada lejana y bordón en mano, escucha atentamente sus historias mientras descansa recargado en una piedra.

◆ II ◆

La vida real

◆

Esta vida da asco, se dijo Soto y dejó caer el cuerpo en la silla cimbrando toda su carne, sintiendo cómo a causa del peso las vértebras aplastaban los discos hasta hacerlos gemir. Encendió un cigarro y notó que las manos ya no le temblaban. En cambio el sudor persistía en las palmas y entre los dedos a pesar de los constantes frotamientos contra la mezclilla de la chaqueta. En el silencio de la redacción, la imagen de los cadáveres volvió a flotar frente a su mirada. La úlcera se le alborotó en el fondo del estómago. Déjame en paz, carajo. Aspiró el humo y lo echó fuera con fuerza, mas no pudo ahuyentar ni el dolor ni la visión: los dos rostros inertes sobre el lodo, ensangrentados y pálidos, la piel casi translúcida bajo la luz del flash. Enseguida se vio a sí mismo de regreso al periódico bajo el aguacero, fumando cigarro tras cigarro, dando lumbre a cada uno con el anterior, en un vano intento de arrancarse esa pestilencia a sangre, sexo y alcohol que se le adhirió al cuerpo desde el momento de entrar a las ruinas del cine.

–Soto, apaga el cigarro –le dijo Ramos, el editor, desde su oficina.

Pisó la colilla mientras murmuraba una mentada de madre. Repasó en todas las paredes los carteles recientemente pegados: *No fumar.* Carajo, ¿a quién le importa la salud? Órdenes del nuevo director. ¿Pero quién pensaba en cumplir con la disciplina después de estar en ese matadero?

Dos vagabundos… aporreó furioso las teclas de la computadora. Se detuvo. Borró esas palabras. Las sustituyó: Dos teporochos… De nuevo se detuvo. ¿Por qué no hacía ruido al escribir? ¿Dónde habían quedado aquellas máquinas metálicas, pesadas, escandalosas, en las que uno sentía estar trabajando de verdad? Llevó la mano a los cigarros automáticamente, iba a sacar uno, pero lo dejó en la cajetilla al mirar otra vez los dichosos cartelitos.

Dos vagabundos, dos teporochos: los mismos que había entrevistado meses antes con motivo de un reportaje. Dos seres cubiertos de andrajos que a su modo encarnaban una metáfora del deseo: enmedio de lo más abyecto construían su propio paraíso, gozaban placeres secretos y engañaban al dolor. Dos auténticos *clochards* que vivían en la calle, se alimentaban en los basureros, dormían en parques o edificios abandonados y fornicaban donde les daba la gana. Pareja en el exacto sentido del término. Cómplices en contra del universo. Amantes unidos por la suciedad y el hambre, los solventes y el alcohol, la libertad y el deseo. Unidos, en fin, por la pura valentía de permanecer unidos.

–Da asco –dijo Soto nuevamente, ahora en alto, sin saber de quién era esa voz ronca, sofocada por el coraje.

Los había visto por vez primera durante la redada a un prostíbulo disfrazado de salón de baile. De eso hacía por lo menos un año. Soto acudió al lugar junto con un convoy de granaderos. Los uniformados le pusieron en fila a toda la fauna del burdel, y él se dio gusto retratando a los mariguaneros que escondían el rostro, a los travestis orgullosos de ser mujeres, a las putas que le ofrecían el cuerpo si las sacaba de la cárcel. Cuando anotaba los nombres de los detenidos, se le acercó la pareja.

–Caite con un pomo y te posamos pa la foto.

Le agradó la iniciativa, aunque no pudo ocultar un gesto de repulsión: olían a vómito, a sudor remojado, a mierda añeja; y bajo esa fetidez se filtraba otra, acaso más tierna, dulce, que aquella noche Soto identificó con las emanaciones que se desprenden de la fruta descompuesta. Su facha no producía un mejor efecto: en ambos, los harapos apenas cubrían la piel llena de pústulas, granos y unas inmundas plastas de sebo ennegrecido. Ella, casi calva, lucía sobre el cráneo manchas tornasoladas, semejantes a las de la humedad en las paredes. Por el contrario, el tipo ostentaba una melena que se erguía un palmo por encima de la cabeza, cuyo puntal era una especie de betún duro y reluciente.

Valía la pena. Soto dirigió a ellos el lente, lo cual estimuló el exhibicionismo de la pareja: primero recrearon cuadros de boda, ella de pie, la mirada plena de ilusiones, y él sentado, abrazándola del talle. Luego se separaron, mirándose amorosos, tomados de las manos. Más tarde cruzaron sus brazos sobre los hombros, como camaradas, mientras sonreían a la cámara con dientes cubiertos de lama. De pronto se besaron, y ya se acariciaban bajo los jirones de tela, cuando el rollo llegó a su fin.

Entonces se acercaron a Soto para que cumpliera con su parte del trato, pero él se desentendió murmurando "otro día", porque los uniformados empezaban a abordar sus unidades.

–¡Contesta el teléfono, Soto! –le gritó Ramos desde lejos.

Miró el aparato sin moverse, y ni siquiera se inmutó ante los siguientes timbrazos. Tengo ganas de fumar, no de hablar con Remedios. Porque seguro era Remedios. ¿Quién más? Sobre todo a esta hora. ¿Serían ya las tres? Maldita guardia, carajo. Los cadáveres habían sido descubiertos antes de media noche, como alguien aseguró a través del *scanner* del periódico. Más de dos horas y él aún apestaba a muerto, a sangre, a sexo. Sólo el olor a alcohol había desaparecido. Otro timbrazo. Sí, tenía que ser Remedios, llamándolo para reclamarle la tardanza, la descortesía de no avisarle. Y esa imagen de los dos rostros unidos en la muerte que no se iba. Descortesía. Y sin poder fumar. ¿No se daba cuenta de que no quería hablar con ella? Triste, abatido, como no lo había estado en mucho tiempo. Descortesía: desconsideración: no te importa que no pueda dormir cuando no llegas. Tengo ganas de emborracharme. Otro timbrazo. Que se vaya a la chingada.

–O le contestas tú o le contesto yo –Ramos estaba junto a él–. Me tiene hasta la madre...

–Ya dejó de sonar.

–¿Todavía no escribes la nota?

–Voy, no hay prisa.

La pinche nota, repitió Soto apretando los dientes y se sobó las manos en el pantalón. A pesar de la ropa húmeda y del aire acondicionado que a esas horas solitarias convertía la redacción en un frigorífico, el sudor viscoso seguía ahí, en los vértices de los dedos, en las palmas. Sentía como si acabara de sacarlas de un bote de grasa. Empezó a teclear y otra vez paró. ¿Cómo escribir la nota? ¿Cómo eludir la impresión de haber reconocido los cadáveres? ¿Cómo darle un tono de falsa objetividad para que los lectores no advirtieran que sus sentimientos, su asco, su decepción estaban involucrados? Nunca reveló las primeras fotos: el rollo se extravió en el desorden del laboratorio. Y no se hubiera vuelto a acordar de ellos, si no es porque unos meses más tarde se los volvió a topar.

Salieron de un pequeño parque cuyos arbustos se enmarañaban sin concierto, igual que en un lote baldío. Era media tarde. Soto recorría las inmediaciones del centro cuando los reconoció: abrazados, acariciándose alegres por encima de sus andrajos, en actitud tan cariñosa que no dudó acerca de lo que habían estado haciendo en el parque. Sintió envidia: él y Remedios tenían mucho de haber perdido el deseo de amarse de ese modo.

Estacionó el auto donde pudo y los siguió entre la gente un par de cuadras, hasta darles alcance en una explanada llena de pordioseros. Había nubes de moscas zumbando por todas partes. Una mezcla de olores –basura, cloaca, humanidad enferma y agua podrida– prensaba el aire, y rápido arremetió contra él. En el suelo la confusión de cobijas zarrapastrosas, montones de ropa viejísima arrumbados al azar y cuerpos cubiertos de piltrafas obligó a Soto a caminar como sobre las piedras de un río, pisando en huecos, eludiendo las manos que exigían dinero. Tras la odisea, se plantó frente a la pareja y les preguntó si se acordaban de él.

–Cómo no, gordito, tas péndulo.

Se hizo acompañar por ellos a un depósito cercano y les compró dos litros del tequila más barato. De regreso a la plaza, les propuso una entrevista y otra sesión de fotos, pero ellos alegaron no estar de humor más que para emborracharse en paz con sus compas. Podía ir a buscarlos después, al cabo ya sabía dónde hallarlos. Soto insistió. Por lo menos posen unos minutos, dijo. Ya no lo escucharon: se habían arrinconado junto a unos tambos de basura y, generosos, mostraban las botellas a los moradores de la explanada en señal de invitación.

–Tómamelas a mí –otro de los vagabundos lo asía del codo.

Se zafó sin verlo. Ahora sí estaba realmente fascinado por la pareja: a pesar de los andrajos y de las cicatrices, a pesar de toda esa inmundicia que llevaban encima, parecían sublimarse hasta la felicidad. La carne, el deseo de sus cuerpos, era su sostén en ese estado de gracia en el cual reían, festejaban, compartían las botellas con los amigos, se abrazaban y besaban enmedio de la mugre. Una intensa envidia volvió a prender en las entrañas de Soto. Antes de irse, interceptó a un hombre que iba a sumarse a la fiesta del tequila.

–¿Sabes cómo se llaman esos dos?

–No –se rió–, pero les dicen los Amorosos.

El frío de la redacción calaba hondo y Soto se restregó los brazos. El temblor retornó a sus manos, que no dejaban de sudar, y ahora no supo si era a causa de la temperatura o por la impotencia ante la obligación de redactar la nota. Piensa, Soto, se dijo tratando de concentrarse, es tan sólo un crimen más en la ciudad, igual a los que registras día a día para alimentar el morbo de los lectores. Otra aberración en la que hozará la gente para poder sentirse normal, sana, segura dentro de las cuatro paredes de su casa. Nada extraordinario: dos vagabundos, dos teporochos, dos NN muertos a manos de otro malviviente como ellos en uno de los barrios aledaños al centro. No importa que los conocieras, que incluso hayas intentado darles fama y gritar a los cuatro vientos el júbilo y la libertad en que vivían a través de un reportaje mutilado porque a nadie le interesaban las porquerías pornográficas de dos lacras sociales. No importa la envidia de la buena que sentías hacia ellos, ni el entusiasmo ni la fe en los hombres que revivieron en ti. Nada de eso importa. Como tampoco importan el sudor en las manos, el tufo pegado a la nariz, el torbellino dentro de la cabeza y la imagen de los cadáveres que no puedes dejar de ver. Ni siquiera esta desesperante necesidad de fumar, de salir corriendo, buscar una cantina y lavarte, purificarte por dentro con una botella de ron. Nunca habías sentido nada ante la muerte. No empieces ahora. No tienes por qué: es sólo parte de la vida. Siempre lo has dicho.

–¿Trajiste gráficas, Soto? –Ramos cargaba su maletín.

–Se están revelando.

–Bueno, cuando acabes la nota, deja todo en el escritorio de Agustín –le dio una palmada en la espalda como despedida–. Mañana va de primera en el de la tarde.

Lo vio doblar al final del pasillo y durante unos segundos escuchó el eco de sus pasos. Al retornar el silencio a su inmovilidad, Soto sacó un cigarro y lo encendió. El aroma del tabaco quemado se le enroscó entonces en el olfato, y al sentirse libre de ese otro olor, el que venía arrastrando desde el cine, pudo olvidar por un instante la visión que lo angustiaba.

Los había ido a buscar a la plaza varias semanas más tarde, muy de mañana, a una hora en que los moradores de la explanada aún no abandonaban los sueños alcohólicos. Cubría la atmósfera una tenue neblina que neutralizaba un tanto los humores, pero confería a aquel cuadro un aspecto lúgubre: hombres y mujeres se arracimaban en un revoltijo de cabezas y trapos, polvo y basura. Lucían como cadáveres momificados, sorprendidos mientras dormían por una lluvia de ceniza que los hubiera asfixiado, quemándoles la piel apenas por encima hasta ennegrecerlos.

Tomó algunas fotos del conjunto. Enseguida se dedicó a examinar cada uno de los rostros sin encontrar a la pareja. Preguntó por ellos a una mujer gorda, en apariencia la única consciente, que contemplaba los vapores de la neblina despatarrada sobre una banca. Ella lo miró largo rato, mas no despegó los labios. Es inútil, se dijo Soto, y rastreó con los ojos un sendero para alejarse de ese laberinto de cuerpos, pero desde el suelo lo sujetaron del pantalón.

–¿Cómo te va a contestar? –la voz salió de un montón de estopa–. ¿Qué no ves que es muda?

–¿Y tú sabes dónde están?

–¿Pa qué los quieres?

–Tengo un asunto pendiente con ellos.

La estopa se contrajo como si estuviera pariendo y de entre sus hebras brotó una cabeza rapada a medias, negra, igual que si la hubieran pintado a punta de brochazos. Se dio vuelta y Soto pudo ver su rostro: normal, excepto por los ojos excesivamente inyectados de sangre.

–¿Les vas a dar un pomo por tomarles fotos?

–A lo mejor.

–Dámelo a mí –dijo enseñando unas encías sin dientes–. Yo toy más guapo, ¿qué no?

Era inútil. Nadie estaba en condiciones de darle razón. Caminó con rumbo al auto. Ya en la calle, escuchó la voz sonámbula y cascada de una anciana:

–Búscalos en la cuadra de atrás –sonrió pícara–: se fueron a coger. Chance y los alcanzas. Así sacas fotos más cachondas...

El timbre del teléfono lo hizo dar un respingo y tambalearse sobre la silla. Otra vez Remedios, carajo. Miró a todos lados para comprobar que seguía solo en la redacción mientras frotaba las manos una con otra. El sudor persistía. Ahora también lo aquejaba un dolor de mandíbulas, y se recordó amodorrado, rechinando los dientes por la tensión. Cada día estoy peor. Se puso de pie en tanto escuchaba de nuevo el timbre. Por sus piernas corrían miles de hormigas que empezaron a irradiar calor en cuanto caminó. Fue al archivo, directo a la cajonera de la sección policiaca. Extrajo un sobre de manila, cuya única referencia al dorso era su apellido escrito a lápiz.

Alrededor de sesenta filminas y texto suficiente para dos planas. Al ver el material, Ramos se había mostrado lleno de un entusiasmo que no tardó en contagiar al diseñador. Alabó las fotos y la entrevista y, quebrantando su parquedad habitual, lo felicitó por haber sabido distinguir enmedio de aquella suciedad, de toda la escoria que anidaba en las calles, un nicho de belleza que tornaba soportable la vida. De hecho ésta es la vida real, se había corregido Ramos enseguida, la que deben conocer los lectores. Aseguró que el domingo le daría las dos páginas completas, a color, pues sólo así podría apreciarse el aura mágica que envolvía a los vagabundos. Lo cabecearon "En otra dimensión" y, ya montado, Ramos lo llevó a la oficina del director.

Sin embargo volvió más serio de lo que nunca lo habían visto: el domingo siguiente una de las páginas centrales anunciaría las ofertas de una tienda departamental. Además le habían dado la orden de que el reportaje ocupara cuando mucho media plana, porque lo que la gente esperaba de la sección eran crímenes y accidentes, no cochinadas ni cursilerías. Qué vida real ni qué nada. La vida real era lo que la gente leía en el periódico. De nada valdría insistir, el jefe estaba decidido.

Soto salió del archivo con el sobre en la mano. El teléfono ya no sonaba y en la redacción sólo se oían rumores distantes, procedentes de la cápsula de diseño. Tengo que escribir algo para Agustín. Lo que fuera. Otra era dejarle los datos y que él se las arreglara. O nomás las gráficas. Se dirigió a su silla al tiempo que escuchaba tras de sí los pasos del laboratorista.

–Oye, Soto, están con madre –le entregó la ristra de filminas–. ¿Y cómo los mató ese güey?

–¿Qué hora es?

–Las cuatro.

–¿A qué hora llega Agustín?

–Entre cuatro y media y cinco.

Le dio la espalda y se sentó. El otro permaneció ahí unos instantes, pero pronto sus pasos sonaron en retirada. En el vacío de la pantalla el cursor emitía un latido verde, intermitente, desesperante. Soto dejó el sobre encima del escritorio y notó que estaba húmedo de sudor. Junto al teclado, la ristra de filminas se enroscaba en espiral. No necesitaba revisar las imágenes: todavía las llevaba en las pupilas como un tatuaje, proyectándose sin cesar en los objetos a su alrededor. Tampoco necesitaba sacar las otras del sobre. Ésas las tenía tatuadas en la memoria.

Los había encontrado siguiendo las indicaciones de la anciana. Era una calle vieja y solitaria que el gobierno iba a ampliar para dar paso a una avenida. Almacenes, estanquillos, casas, un enorme cine y un par de vecindades. La mayoría en ruinas, sólo unos cuantos edificios conservaban a sus ocupantes. Había malvivientes por doquier: engarruñados en los portales, entre los escombros, calentándose alrededor de una fogata, pidiendo dinero en las esquinas.

Soto se asomó a cada una de las construcciones a través de unos huecos semejantes a las cicatrices de un bombardeo. Los halló dentro de lo que anteriormente fuera un almacén, cuyos ventanales pulverizados cubrían el suelo. Al verlos sonrió; la anciana había dicho la verdad: él descansaba bocarriba con los andrajos en desorden y la respiración entrecortada, como si sufriera un ataque de asma. Ella, de rodillas junto a él, le acariciaba morosamente el pecho, mirándolo con ternura, en tanto le daba sorbos de una botella. De no ser porque el saco le colgaba hasta el piso, Soto hubiera visto sus piernas desnudas.

–Ay, mira, el periodista –la mujer sofocó una carcajada con la mano–. Ay, no me diga que nos fisgoneó.

El hombre sólo amplió una sonrisa. Enseguida le hizo una seña a Soto para que se acercara. Los fragmentos de vidrio crujieron bajo sus pies, y al llegar a ellos lo sorprendió que la mujer vistiera ya un pantalón similar a la piel apolillada de un oso gris. Le ofrecieron una piedra como asiento y ella sacó de entre los harapos una bolsa de plástico. Aspiró y expelió dentro tres veces. Luego, reteniendo el aire en los pulmones, se la tendió.

–No, yo no le hago –dijo Soto.

–Tons pégate un buche –el hombre le entregó la botella.

Tuvo que vencer la repulsión, y el temor hacia aquel brebaje. El alcohol había sido rebajado con refresco, pero de cualquier modo resbaló por su garganta como si se tratara de metal fundido: una sensación lenta, pesada, ardiente, que al caer al estómago liberó una onda de vapores ácidos. Soto tosió hasta ver estrellas, mientras ellos, deshaciéndose en carcajadas, caían de espaldas y se retorcían igual que niños, agarrándose la panza a cada espasmo de risa.

Cuando todos estuvieron serenos, Soto sacó la cajetilla, les regaló cigarros, encendió uno, y puso a funcionar la grabadora.

–Primero la entrevista –dijo–. Después tomamos las fotos.

Al responder las preguntas brindaban con un golpe de

chemo y un trago, intercambiándose la bolsa y la botella. No pudieron recordar cuánto llevaban juntos, amachinados, dijeron. El pasado era un espacio vacío, una película borrosa en la que participaron representando, cada quien por su rumbo, a otras gentes que habían olvidado. Un mundo alucinante, como cualquier pesadilla. Nomás se acordaban de cuando se encontraron en la calle, y de ahí en delante. Me defendió de unos güeyes que querían cogerme, dijo ella con la mirada vidriosa. Lo catearon, lo filerearon, lo dejaron medio muerto; enséñale. El hombre aspiró dentro de la bolsa y luego se descubrió la espalda. Soto dejó la grabadora y agarró la cámara. Ahí estaban las cicatrices, entre mugre y manchas de grasa, infectadas una y otra vez. Tomó algunas fotos. De eso hacía mucho, una eternidad. Fue doloroso, claro, pero les valió para conocerse, y desde ese momento gozarse, acompañarse, protegerse. Compartían todo: refugio, amigos y enemigos, chemo, alcohol, yerba cuando había, la poca comida. Sí, era cierto, seguido los agredían. Las pandillas por diversión, los policías por odio, los otros vagos porque también deseaban mujer. No importa, agregaba ella untándose a él, tengo mi caballero defensor. Cada batalla sumaba nuevas cicatrices. En fin, concluía él, llevo encima tantas que una más no cuenta. La voz se les volvió pastosa, la mirada turbia, los movimientos torpes, y sin embargo seguían hablando ya sin necesidad de preguntas: su vida era amor, amor y puro amor: cuerpo, deseo, compañía; reír, fornicar, drogarse, beber, comer a veces, ¿qué más podían pedir?

–Ahora las gráficas –dijo Soto cuando la perorata de los dos perdió los últimos vestigios de coherencia.

Aunque difícilmente podían mantenerse en pie, accedieron gustosos. Con algo de trabajo repitieron las poses del día de la redada, cayendo al piso en más de una ocasión a causa de la borrachera, y levantándose lentamente ahogados de la risa. Soto hizo una pausa para cambiar el rollo. El hombre, en tanto, agotó el alcohol y estrelló la botella contra una piedra. A partir de ese instante dejaron las poses: comenzaron a besarse con urgencia, a lamerse las cicatrices del rostro, las plastas de mugre.

Sólo se detenían de tanto en tanto para sonreír al lente. Las manos iban y venían entre los trapos, acariciando, apretando. De pronto él la arrimaba a la pared y la cubría con su cuerpo. Enseguida ella saltaba a horcajadas sobre él obligándolo a trastabillar. Soto accionaba sin descanso la cámara, y capturó el momento en que las manos dejaron atrás los harapos para internarse, las de él en los senos de ella, las de ella en busca del sexo de él.

Se habían olvidado por completo de las fotos y del periodista. Absortos en ellos mismos, se dejaron caer en el vértigo de sus cuerpos. Soto se supo intruso, ajeno a ese mundo constituido sólo por dos seres, a pesar de que una corriente de calor aceleraba la sangre en sus venas. Tomó unas cuantas gráficas más antes de ver el montón de andrajos en el suelo. Por un segundo sintió lástima hacia aquellos esqueletos revestidos con una piel maltrecha, saturada de costuras antiguas y recientes, teñida de infecciones. Pero al mirar el deseo con el que se buscaban, su sentimiento sucumbió ante la inquietud que se le revolvía en las entrañas. Perturbado por una excitación creciente, la vergüenza lo impulsó a huir del lugar.

De nuevo fue al depósito por dos litros de tequila. Era lo justo. Para apaciguar la ansiedad hinchó los pulmones con el aire frío y húmedo de la calle. Un poco más tranquilo, retornó al viejo almacén, en donde los jadeos le despertaron un pudor adolescente. Procuró no hacer ruido al pisar los cristales, y sin voltear hacia la pareja dejó las botellas en un sitio visible. No los vio, pero sí los olió: el tufo a fruta pasada que antes había percibido en ambos era ahora más intenso que nunca. Con razón, se dijo y sonrió jovial. Se llevó de despedida esa fragancia, así como un largo y estridente grito de la mujer y los sonidos guturales del hombre.

Se frotó los párpados en un gesto de desaliento. Agustín no tardaría en aparecer y la pantalla continuaba en blanco. Un cigarro temblaba entre sus dedos, y los ojos perseguían el humo hasta el extractor del techo. Sin embargo, lo que en realidad miraba eran las ruinas de aquel cine situado en la misma calle donde realizara el reportaje. Los dos cuerpos desnudos, como la última vez que los vio, pero ahora tintos en sangre, sumidos en el lodo a fuerza de los garrotazos que terminaron por desfigurarlos. Toda la escena multiplicada en la espiral de filminas junto a la pantalla. No se lo merecían, carajo. La ceniza ganaba terreno al tabaco en la punta del cigarro. La sacudió sobre el piso y después fumó. La úlcera ardía cada vez más. Ellos no adeudaban nada a nadie; eran libres, felices. Cerró los ojos y volvió a ver los cadáveres rodeados de reporteros, judiciales, socorristas y mirones. Ningún vagabundo, ninguno de los compas de la explanada. Tendrían miedo, se dijo Soto. Los flashes relampagueaban uno tras otro, incendiando las gotas de lluvia que escurrían a través de los huecos del tejado. Las cámaras intentaban registrar cada uno de los golpes, los huesos rotos, la carne tumefacta. ¿Por qué tanto encono, tanta brutalidad? ¿Quién pudo odiarlos así? En un extremo, fuera del circo de luces y curiosos, el homicida reposaba en el lodo, con las manos a la espalda sujetas por esposas. Tenía heridas en el rostro y vestía sólo un pantalón desabrochado. Lo encontraron violando al muerto, le informó a Soto uno de los colegas, y ya se había cogido el cadáver de la mujer. Pinche loco. Por eso los granaderos le pusieron sus madrazos.

El cigarro se le había consumido entre los dedos. Arrojó el filtro a un rincón y buscó otro en sus bolsillos. Nada. Enfermo hijo de su puta madre. Arrugó la cajetilla vacía y la tiró al mismo lugar. ¿Qué te habían hecho? ¿Fue por pura envidia? Los rostros que antes reían, ahora inmóviles, monstruosos. ¿Por qué tanta saña, carajo?, repitió mientras repasaba mentalmente los argumentos con que el asesino respondía a las preguntas de los judiciales: ¿Por qué los mataste? Sabe… ¿Cómo que sabe, pendejo? Pos nomás… ¿No tenías ningún motivo? Por ojetes, no me rolaron el trago. ¿Entonces fue para robarles la botella? Sí, por eso. ¿Y por qué te los cogiste? Ya le traiba ganas desde hacía un buen… ¿A los dos? ¿Eres puto o qué? No, nomás a la morra. ¿Y a él? ¿Por qué te lo cogiste también a él, pinche degenerado? Nomás, pa no desperdiciarlo, ya taba ai quietecito, de eso no hay seguido…

Soto sintió ganas de vomitar. Se puso de pie y caminó unos pasos por la redacción. El homicida era otro de los vagos de la explanada. Según la policía, andaba sumamente intoxicado. Sarolo, chemo, pastas, quién sabe qué más. Pero no hay justificación, carajo. Se volvió a sentar, mesándose los cabellos. No podía describir nada de eso, no. Los ojos inyectados de valemadrismo, la expresión cínica con la que contemplaba a quienes lo rodeaban se habían vuelto más evidentes en cuanto vio acercarse al periodista. Se incorporó y abrió la boca en una sonrisa impúdica, desdentada. ¿Ora sí me vas a retratar?, se burló al ver la cámara. ¿No que no? Ora sí te parezco guapo, ¿verdad? Lo reconoció en el instante en que un judicial le asentaba una fuerte bofetada haciéndolo caer en el lodo, y entonces las palabras que había dicho ya no fueron las de un demente, sino las del testaferro que lo acusaba de complicidad. La culpa tuvo el efecto de una cuchillada en el estómago. Apartó la cámara de su rostro mientras sentía cómo la sangre se tornaba densa dentro de sus venas. Con paso torpe buscó la salida del cine. Todavía desde el suelo, el teporocho miró alejarse a Soto y le dijo: Ai me debes el pomo...

En la pantalla se dibujaron nítidamente los mismos ojos de globos enrojecidos, la boca de encías desnudas, la cabeza pintada de negro a brochazos. Apagó la computadora y se sobresaltó al oír unos pasos retumbando en el silencio. Ahí está Agustín y no he hecho nada. De pronto tuvo la impresión de escuchar una cuenta regresiva. ¿Por qué me altero así? En el otro lado de la redacción apareció una figura, mas no la de Agustín: el vigilante realizaba su ronda.

–¿Todavía por aquí?

–Sí, me tocó la guardia. ¿Qué hora es ya?

–Van a dar las cinco.

Era cosa de minutos. Agustín querría ver las gráficas y leer la nota de inmediato. Tenía órdenes de Ramos de mandar como principal lo que Soto le dejara. Pero no es justo que los vean así, desnudos, ultrajados. Tomó la ristra y la puso a contraluz: imágenes tal y como le gustaban al director, a los lectores. "Cruento crimen pasional", cabecearía Agustín y mandaría ampliar a media página la foto más sangrienta, la más macabra. No, ellos no lo merecen. Y no lo voy a permitir. Sacó de la bolsa el encendedor y, decidido, prendió fuego a las filminas.

La película ardió rápidamente cargando la atmósfera con un olor aceitoso, pesado. La dejó caer en el bote de basura y sonrió mientras miraba cómo se consumían los últimos rastros del crimen. Casi al mismo tiempo las molestias corporales disminuyeron. Se esfumó el dolor de la úlcera, el de las mandíbulas; sus músculos se relajaron en un alivio voluptuoso. Los cadáveres, la sangre, el olor a muerte y el rostro cínico del loco homicida yacían en el fondo del bote convertidos en cenizas.

La vida real... recordó las palabras del director. Entonces abrió el sobre de manila y extrajo las fotos viejas. Que otros dieran a conocer la noticia del crimen, los cuerpos, al asesino. Escogió las mejores: ésas donde la pareja desbordaba ternura, abrazada, sonriente, mostrando al mundo su inmensa felicidad. Las unió con un clip al texto de su reportaje y las dejó en el escritorio de Agustín. Mañana me corren, seguro. Se frotó las manos y las encontró secas, sin sudor. Volvió a sonreír. Caminaba hacia la salida, ligero, despejado, cuando sonó el timbre del teléfono. Otra vez Remedios. O Ramos. O Agustín. O el aviso de otro crimen. O un accidente... Que se vayan todos al carajo.

Nomás no me quiten lo poquito que traigo

◆

Apenas lo dijo y al sargento le cambiaron los ojos: de la cachondez burlona que le desbordaba los párpados mientras le metía mano por el escote pasó a una mirada dura, llena de suspicacia. Estúpida. ¿Cómo fue a escapársele semejante babosada? Si no venían por dinero. Ellos sólo pasaban por su cariñito como cualquier noche, sobre todo en invierno, cuando el frío engarrota los músculos y hay que mover el cuerpo para entrar en calor. El sargento no preguntó nada; únicamente la sonrisa se le fugó del rostro, y como no volvió a hablar, el otro ya no tuvo motivos para festejarle a carcajadas cada una de sus ocurrencias. Pendeja, de lo que se trataba era de coger, dejarlos bien exprimidos y contentos y después largarse muy oronda a esconder el dinero debajo del colchón. Si acaso habría tenido que aguantar un poco de maltrato, algunas cachetadas quizá, las necesarias para darle algo de sabor al encuentro. Nunca causan mucho daño, y además es costumbre en los policías. Como que la violencia los deja listos, los hace sentirse machos: un par de golpes y ahora vas a ver, pinche puta, antes de arrancarle la ropa a jalones, rasgándosela ruidosamente, y entonces primero el sargento, empínate cabrona, y el dolor de la entrada porque siempre son unas bestias al empujar, así, como viene, en seco. Mas enseguida se amolda, ábrete bien hija de la chingada, el cuerpo se acostumbra y comienza a disfrutar ese pedazo de carne sólida adentro. Porque para qué mentirse, si ya no aprieta como antes, y la culpa la tiene tanto pelado cachondo que anda por la calle. Sí, arde, pero poco a poco se le va agarrando el gusto. Sólo que ahora, como se le fue la lengua, no adivina qué va a pasar. La patrulla avanza, sin prisa, dejando atrás el centro con sus calles atestadas de noctámbulos. Los faros iluminan algunas parejas y caminantes solitarios en las esquinas. Estrella va con el cuerpo rígido, enmedio del sargento y del chofer, embotada por el silencio seco dentro de la patrulla, sin saber cómo reaccionar a los apretones de esa mano torpe que circula por su piel.

Háganme lo que quieran, nomás no me quiten lo poquito que traigo. Tenía que decirlo. Tenía que dejarse llevar por su lengua siempre amarrada al miedo, a la maldita avaricia, a los centavos; y nunca al cerebro como le aconsejan las compañeras. ¿Pero qué puede ella, con sus apenas dieciocho, y con sólo tres meses en la calle vestida de minifalda, tacón y blusa ombliguera? Le ganó lo mujer y la traicionó la emoción del dinero. ¿Cuántas veces le han advertido las otras que con la ley chitón, sí señor, lo que usted mande, ya sabe que estoy para darle gusto? Incluso habría salido ganando, porque después de despacharse al sargento, sin darle tiempo a descansar se le habría montado el otro cachuchón, encontrándola ya muy aceitadita, muy suelta, lista para cerrar los ojos y en la oscuridad perderse en esa fantasía donde es poseída por un centauro. Nunca disfrutó así con su señor, ni con ninguno de los que la levantan en la calle. Todos los hombres son unos egoístas: buscan su propio placer y no les importa salirse cuando ella apenas empieza. Luego actúan como si los amargara la culpa o la vergüenza. O peor: como si Estrella les provocara asco. Por eso le gustan los policías. No se andan con remilgos ni remordimientos y siempre vienen en paquete: de dos en dos o de tres en tres. Y como acostumbran a coger uno después del otro, sólo basta con apretar dientes y párpados y echar a volar la imaginación para sentir que tiene detrás a un semental de carrera larga.

–Señor –su voz sale sofocada, como un murmullo–, ¿a dónde me llevan?

–No sé por qué preguntas –responde el sargento que ahora le soba el estómago bajo la blusa–. Como si no lo supieras.

Al mismo lugar de siempre, se dice Estrella después de reconocer el rumbo. Al parque, junto al río, donde ya otros policías la llevaron antes. Por la noche no hay nadie ahí, y lo difícil es el regreso. Aunque en la última ocasión, como se portó muy complaciente y les cumplió a los uniformados todos sus caprichos, aceptaron devolverla a las inmediaciones del centro. Sin embargo, en estos momentos no está muy segura. La expresión del sargento no es la de un hombre urgido, por más que no deje de manosearle los senos como si nunca antes hubiera tenido al alcance unos tan tersos, tan rotundos, tan duros. Luego baja la mano hasta el ombligo, donde inserta un dedo que se le enreda entre los pelos, y de ahí pasa a tentarle el vientre, jugueteando un poco con la aspereza del pubis. El miedo y el placer se le confunden en una opresión de garganta ante la actitud del uniformado. Lo que a ratos parecen caricias toscas, por momentos se convierten en una exploración acuciosa y fría. La está registrando: la mano del sargento pretende disfrazar de lujuria el rastreo entre su piel y la ropa.

¿Por qué demonios mencioné lo del dinero?, se pregunta una vez más. Se le desbordó el orgullo de traer hartos billetes y no pudo contenerse. Nunca imaginó que un caballero con un carro como ése fuera a invitarla a subir. Todo un señor, elegante, bien parecido, de buenos modales. Ni pensó que alguna vez entraría a un departamento así de lujoso, en un edificio que parecía la torre de un castillo. Desde ahí, a través de los ventanales, se alcanzaba a ver toda la ciudad con sus casas como de juguete y las personas chiquitas chiquitas. Además el caballero ni la tocó. Se limitó a pedirle que bailara sin música junto al ventanal, mientras se desnudaba lentamente. Ella se puso nerviosa, pero el señor la fue dirigiendo con una voz que en su autoridad dejaba entrever un deseo vivísimo. Cuando llegó el momento de completar el desnudo titubeó, pues no quería mostrar ese miembro flácido que le da tanta vergüenza y que siempre trata de ocultar con bragas de refuerzo doble. Sin embargo, una desesperación vibrante en la voz del hombre la hizo darse cuenta de que eso era precisamente lo que él deseaba ver. Reprimió los escrúpulos y pensó en cualquier cosa para no imaginar cómo se vería con sus senos siliconeados y su verga infantil, hasta que con un sonoro resuello el caballero acabó de masturbarse en un rincón oscuro de la habitación. Luego le ordenó con mucha cortesía que se vistiera de nuevo, y enseguida le pagó con una cantidad en dólares que Estrella jamás había visto junta, añadiendo varios pesos para el taxi.

Me hubiera ido directo a la casa, piensa mientras los dedos rasposos del sargento se desplazan de su espalda hacia el nacimiento de las nalgas. Ya tenía la noche completa. Y ahora estos cabrones me van a quitar todo. Había decidido abrir una cuenta en el banco, iniciar un guardadito para su operación. Con unos cuantos clientes ricos, como ese señor... Mas la interrumpe un estremecimiento porque un dedo le recorre el desfiladero entre las nalgas. En esta ocasión es evidente que no hay ni una pizca de deseo en la mano que la explora, y sin embargo en sus entresijos se alborotan miles de mariposas, y su miembro muerto se cimbra un par de veces como si estuviera a punto de levantarse.

La patrulla sigue avanzando con lentitud extrema. Cualquiera diría que realiza su ronda nocturna. Dejan atrás las últimas zonas residenciales, y ni el sargento ni el chofer han dicho una palabra. Por ese rumbo la ciudad luce desolada. Poco a poco el miedo se intensifica en el estómago de Estrella, se le revuelve con las ganas de hombre, se torna en impaciencia. Quiere ser poseída por los dos. No ve la hora de llegar al parque. Se impacienta a causa de la tardanza de los uniformados. En cualquier otra noche, para estas alturas del camino alguno de los policías, sin poderse aguantar más, ya se habría abierto la bragueta, obligándola a agacharse para llevar su boca hasta el miembro erecto. O de perdida la mano. O quizás entre los dos la habrían encuerado para manosearla a sus anchas. Nunca se ha sentido más mujer que cuando se encuentra desnuda dentro de un auto, con un macho a cada lado, recibiendo caricias y aferrada a dos vergas endurecidas. Pero ahora el único contacto viene de la mano fría del sargento que la recorre de arriba a abajo, calentándola, eso sí, aunque con movimientos tan mecánicos que más parece una rutina que un cachondeo. Ojalá no me dé el agarrón en las verijas, se dice angustiada, porque se va a encontrar los billetes. El otro policía también se muestra extrañado: no deja de voltear hacia Estrella y el sargento como si se preguntara por qué no inicia la función.

Entran al fin en un área donde los árboles se aprietan unos con otros, formando barreras a los lados del sendero. Aquí y allá los autos estacionados entre la vegetación son semejantes a animales en reposo, solitarios y oscuros; mas en sus cristales cubiertos de telarañas de vaho se advierte que sus ocupantes se acoplan protegidos por las sombras. Entonces el chofer pierde la paciencia: aparta la diestra del volante y la interna por el escote de Estrella hasta capturar un seno. Ella emite un quejido ronco. Ahora un hombre la manosea por delante y otro por detrás, y su cuerpo se abandona, retorciéndose sobre el asiento de la patrulla, girándose a medias una y otra vez para facilitarles el acceso. Algo que ya corre por su sangre la impulsa a rebelarse contra el pudor y el miedo, y renuncia a la pasividad. Extiende la mano izquierda y con desparpajo envuelve entre los dedos el miembro del policía por encima del pantalón, lo palpa minuciosamente hasta sentirlo crecer y endurecerse. La sensación le nubla la vista. Se le ensartan en la piel múltiples agujas cargadas de calor. Perdida la timidez, con la otra mano alcanza la bragueta del sargento. Lucha contra el cierre por unos segundos, y al comprobar que es inútil se contenta con frotar sobre la tela el falo hinchado.

–Ya se soltó el putito, mi sargento –dice el policía en tono socarrón–. Como que ya quiere lo que le vamos a dar.

–Soy putita... –murmura Estrella con los ojos cerrados mientras termina de desabrocharle el cinturón al sargento.

–¿Qué dijiste?

–No soy putito –suspira–. Díganme puta.

–Sí, mi reina, cómo no. Eres la más grande de todas.

–Mira, estaciónate ahí –indica el sargento.

Las arboledas paralelas se transforman en una especie de honda caverna vegetal, techada por las enormes ramas que se entrelazan. Más allá se encuentra el río, cuyo rumor acuático llega a ellos un tanto débil. Es el cogedero predilecto de los uniformados. Estrella ha estado en el lugar: ahí la llevaron los granaderos la semana anterior. Buena noche aquélla: la primera vez que dio servicio a una tercia de policías. Gracias a la luz de los faros reconoce un árbol de tronco grueso y nudoso, ramas muy bajas, en donde apoyó el cuerpo mientras la penetraban, hasta que casi se desmayó envuelta en un placer doloroso y larguísimo. El recuerdo suma calentura a la que le provocan los manoseos de los policías, a la que transmiten sus propias manos aferrando el grosor de las dos vergas. Gime profundamente cuando uno de los dedos del sargento le hurga el agujero del culo, y aumenta los gemidos cuando el otro empieza a arrancarle la ropa.

–Bájate –ordena el sargento–. Ahora sí nos vamos a divertir.

La toma con fuerza de los cabellos, pues Estrella ya se agachaba buscando con los labios la entrepierna del chofer. Sale a la intemperie medio desnuda, y sólo al momento en que una ráfaga de aire helado se le estampa en la piel se da cuenta de que únicamente lleva puestos los zapatos y las bragas y empieza a temblar. Sus pezones se endurecen; le arden por el frío y por la excitación. Antes de bajarse del auto el policía apaga los faros, y una oscuridad espesa se les viene encima al grado de confundir sus siluetas con las de los árboles. El sargento la abraza por detrás, pegando a ella su cuerpo, y le restriega el miembro contra las nalgas como si husmeara el camino. Al mismo tiempo le pellizca los pezones arrancándole un grito. Ya no advierte el frío, aunque los temblores no la abandonan. Echa las manos atrás y se topa con la cabellera erizada del sargento, de púas tiesas y sebosas. Las jala para acercar al hombre a su cuello. Se estremece al contacto con los labios y la lengua, primero; y enseguida los dientes hundiéndose en su piel. A través de los párpados entrecerrados vislumbra una masa de sombras que se le aproxima por el frente y luego se enconcha a sus pies: es el otro policía intentando bajarle las bragas.

–Yo sola... –dice, pero una bofetada le estalla muy cerca del oído y la obliga a callar.

Antes de que pueda dolerse recibe otro golpe, y otro más. Las mejillas le arden y el aire frío se le embarra en ellas como sal en carne viva. Dolor que azuza el deseo, la urgencia de ser poseída, vejada, emputecida. Su único anhelo es que la terminen de desnudar y la abran por la mitad hasta partirla en dos con esa violencia de machos furiosos que sólo tienen los policías; que la humillen y la azoten hasta el cansancio mientras la gozan con sus falos a punto de reventar, porque para eso es puta: para otorgar placer y obtenerlo, para ser penetrada y cumplirles todos sus caprichos y fantasías a los hombres que la levantan.

El sargento la voltea para tenerla de frente. Ella sigue sin ver más que sombras, pero reconoce ese aliento agrio y caliente que estuvo a su lado durante todo el camino. Pretende arrimar la boca para besarlo, y de inmediato es rechazada con un empujón. Mientras el otro la inmoviliza, el sargento le baja las bragas a media pierna. Al aire, su falo infantil es un gusano amedrentado por el frío. Siente disminuir su tamaño, como si quisiera esconderse dentro de ese cuerpo del que nunca debió brotar. Decide ignorarlo y une los pies, mientras afloja las rodillas con movimientos ondulantes para permitir que las bragas escurran al suelo.

Desnuda por completo, se inclina oprimiendo el cuerpo del policía detrás del suyo. Roza con los muslos el glande cálido, y lo halla húmedo, viscoso, listo para hundirse en ella. La cabeza le da vueltas. Tiene la boca seca y las piernas trémulas, débiles. Aprieta los párpados con fuerza, respira hondo, y se echa hacia atrás en un intento por centrar el falo, buscando ensartarse por fin en él, exprimirlo dentro de sí; mas un resplandor intenso le explota frente a los ojos dolorosamente. Tarda en comprender qué sucede, hasta que el haz de la linterna se aparta de su rostro, desciende por sus senos, se demora un instante en su miembro atrofiado, y llega al suelo, donde alumbra las bragas enrolladas. Dentro de ellas, unido a la tela con cinta adhesiva, se encuentra un dobladillo de billetes verdes.

–Son para mi operación... –balbucea Estrella en una reacción tardía.

–Ah, chingá, ¿pos a poco estás enferma? –se burla el chofer.

–Por favor no me lo quiten. Son para...

–Eran, preciosa –el sargento despega el dinero y después, con un gesto de asco, arroja las bragas lejos–. Yo sabía que había oído bien: "lo poquito que traigo". Ni tan poquito, mi reina. Ni tan poquito.

Se guarda los billetes en el bolsillo donde porta la placa. Enseguida apaga la linterna y el brillo de su sonrisa amarillenta queda suspendido en la oscuridad durante una fracción de segundo. El chofer deja de sujetarla y Estrella cae al suelo. La humedad escondida entre la yerba le eriza la piel. La tierra es áspera; algunas piedras se le incrustan en el trasero, lastimándola, mas no emite ninguna queja. Desde ahí contempla la doble sombra de los policías que se ensancha y encoge como si se tratara de un amorfo espectro de dos cabezas. Aunque no distingue los rostros, está segura de que ellos también miran hacia su silueta vencida. La miran y sonríen. Se mofan de su candidez, de esa incapacidad para cerrar la boca y controlar la lengua que siempre le ha acarreado puras desgracias. Pendeja, se lo van a llevar todo. El rencor comienza a formarle olas en el estómago. Por un momento tiene el impulso de levantarse y responder como hombre. Sería fácil, ellos nunca lo esperarían. Un cabronazo al rostro del sargento, directo a esa sonrisa puñetera, y arrancarle de la mano la linterna para, con ella, machacarles el cráneo a los dos hasta dejarlos bien fríos entre los árboles. Pero hace tanto que no pelea que acaso no sabría cómo hacerlo. Ahora sí que me chingaron, por eso se burlan. Ahí están, con los dientotes de fuera, agarrándose las vergas paradas, nomás para enseñarme que las pueden. Dentro de su pecho comienza a expandirse un acceso de llanto que intenta ahogar apretando las mandíbulas. Y ni siquiera venían por billetes, sino por carne, por un par de nalgas prontas, por un agujero que rellenar, por un cuerpo como el mío, bien dispuesto, para aliviar el frío de la noche...

Lo que iba a ser un sollozo se convierte en un suspiro largo y cachondo. Un estremecimiento se le anuda debajo de la nuca, y Estrella se concentra en oír la respiración agitada de los uniformados. En la oscuridad adivina la erección que hincha los pantalones de cada uno de ellos. No puede haber desaparecido, ahí debe estar, esperando sus caricias, sus manos, su boca, su cuerpo. Un escalofrío la recorre y vuelve a ser presa de la urgencia de hombre. El sargento y el chofer ríen entre dientes. Festejan su hazaña. Casi los puede ver sobándose el falo, comparándolo con el del otro para medir quién lo tiene más grande, señalándola a ella con él, como si le anunciaran que esto no ha terminado, que apenas empiezan. Así es como le gustan los hombres: desvergonzados, abusivos, cínicos y calientes, siempre machos calenturientos. Entonces se pone de rodillas y extiende los brazos hacia ellos, invitándolos a acercarse. Su respiración se mezcla con un gemido apenas audible. Los policías no la ven, pero Estrella les ofrece su boca, húmeda y ansiosa. Sus pechos firmes y redondos, rematados por un par de pezones erguidos que apuntan directamente a las braguetas. Una de sus manos se posa en la pierna del sargento. La otra encuentra el bulto que tensa el pantalón del chofer y lo aprisiona con firmeza.

–¿Usted qué dice, mi sargento? –pregunta el policía con voz muy ronca–. ¿Le entramos?

–Mejor vámonos.

–¡No! –ruega Estrella–. Si quieren llévense el dinero, pero... ¡No me pueden dejar así! ¿Entonces para qué me trajeron hasta acá? No se vayan...

–¿Cómo ves, pareja? –dice el sargento–. Estos putitos no tienen llenadera.

–Deberíamos encerrarlo por degenerado.

–No, mejor lo dejamos aquí. Con eso tiene. Y nosotros vámonos por unas viejas de a deveras. Yo invito. Al fin que traigo con qué.

Aún de rodillas, Estrella observa cómo la sombra amorfa se divide. Después escucha cerrarse la portezuela del lado del chofer. Antes de subirse a la patrulla, el sargento le hunde una fuerte patada en el estómago que la dobla hasta quedar recostada sobre el suelo. Casi al mismo tiempo, los faros del vehículo se encienden y ella ve el chorro luminoso como si fuera consecuencia del golpe. Le falta el aire y comienza a toser, expulsando flemas y maldiciones.

Cuando las luces de la patrulla se pierden al salir de la arboleda, el aire helado de la noche sobre su piel desnuda le va adormeciendo poco a poco el dolor en el estómago y todas las ganas de mujer que le incendiaban el cuerpo.

Navajas

◆

La hoja de acero brotó con un chasquido seco, reconocible, y enseguida los guiños luminosos de la punta atraparon los ojos de Benito. Antes había visto durante un par de segundos el mango acunado en la palma de Erick –un contorno de cromo que apretaba dos cachas de plástico negro–, acaso sin comprender del todo que se trataba de una navaja de resorte. Quizá la pareja de perros que atravesó la calle en ese instante, olisqueándose, mordiéndose lúbricamente en un cortejo próximo ya al apareamiento de gruñidos y sudores, lo había distraído al grado de hacerle olvidar el arma abierta en su propia mano.

No hubiera querido enfrentarse así a Erick, tan de repente, enmedio de un día soleado y lleno de viento como ése. Lo supo en el momento en que fintaba el primer lance: un tajo al aire, apenas el golpe necesario para marcar el espacio en el que se movería el resto de la pelea. Erick retrocedió velozmente hasta poner de por medio dos pasos, y los camaradas de Benito corearon la retirada. El sol pegaba de lado y el viento comenzaba a levantar de la calle más polvo que el conveniente. No, no hubiera deseado esa pelea así. Pero habían llegado a ser insoportables las miradas altaneras, la sonrisa de superioridad con la que Erick presumía sus camisas nuevas, sus botas, sus cadenas, su esclava dorada. Insoportables, agresivas, desafiantes, se repitió como en una letanía mientras esta vez sí arrojaba navaja y mano hacia el frente, obligando a Erick a echarse a un lado, rozando con el dorso una manga de tela suave, sedosa, seguramente adquirida en el gabacho, como esa navaja de hoja afiladísima de la que ahora debía cuidarse.

Erick atacaría. Era su turno. Con todos sus kilos que le daban ventaja, con ese alcance un palmo mayor que el de Benito, con su elegancia y sus movimientos gatunos. No lo amedrentaban ni su enemigo, ni el grupo hostil que lo rodeaba. Ellos nunca lo habían achicado. Por eso él sí cruzaba esa calle que los demás rehuían; por eso, siempre con la cabeza alta, partía el grupo en dos al pasar por enmedio, la mirada fija en Benito, picándolo, sonriéndole con la ironía de un reto mudo. ¿De dónde le vendrá lo gaviota?, pensó Benito al tiempo que esquivaba el navajazo. El brusco movimiento lo hizo trastabillar, pero al impulsarse al lado contrario para mantenerse en pie alcanzó a estrellar el puño libre en el rostro de Erick. Así debió haber sido, a mano limpia, sin navajas. Resolver las diferencias a golpes, a patadas, como se acostumbraba hacía años.

Sin apartar la mirada de Benito, con la palma de la mano Erick se masajeó el pómulo que se teñía de un rojo encendido. Sonreía su boca, pero las pupilas verdes llameaban de ira. Los pies de Benito reconocieron el suelo en busca de apoyo para lanzarse de nuevo contra el otro. Era su calle, su terreno de siempre, pero ahora lo encontraba ajeno. A través de la suela de plástico tanteó las piedras, el cemento recalentado por el sol que se resquebrajaba bajo su peso, la tierra floja, adivinó algunas yerbas. Asentó bien las plantas sobre un montículo más o menos firme y, marcando la dirección con la punta de acero, aventó todo su peso hacia adelante. El arma encontró uno de los brazos ajenos a la altura del hombro, rasgó de lado la tela de la camisa, reventó la piel y se siguió de largo sin hundirse en la profundidad de la carne. Erick gruñó de dolor, pero reaccionando de inmediato giró e hizo silbar el filo de su navaja muy cerca de la oreja de Benito.

Había logrado la primera cortada. Sus camaradas gritaron, animándolo, presionándolo a causar verdadero daño, como lo hacían desde varias semanas atrás para que se enfrentara a Erick. Había que aplacar a ese faramalloso, decían, nadie podía pasar así, por enmedio del grupo con cara de perdonavidas, y luego irse tan orondo. No era posible, carnal, se sentía muy bule el bato, pero había que enseñarle quiénes éramos. No te duraba nada, machín, no era más que un rebeco que nos quería restregar sus trapos y colguijes en el hocico. No la hacía contigo, Benito. Quizás es cierto, pensó Benito cuando vio que una mancha oscura se expandía por la manga de Erick. Dos gotas rojas, anchas, veloces, bajaron en picada hacia el codo, y luego cayeron para perderse por siempre entre la tierra suelta. Curiosamente los ojos de Erick parecían alegres.

Algunos vecinos aparecieron en el portal de sus casas, pero los dos peleadores estaban seguros de que nadie intervendría. Pasara lo que pasara, al terminar el pleito cerrarían puertas y ventanas y no volverían a acordarse de haber visto nada. Así se llevaban las cosas en el barrio. Benito limpió la hoja de su navaja en el pantalón mientras daba un paso atrás. La sangre de Erick hervía en su interior a causa del piquete, tornándolo aún más peligroso: ahora sus movimientos serían más rápidos, desesperados. Pero Benito se mantenía al tiro. A pesar del resoplar ronco de sus pulmones, bajo su piel algo bullía. Los músculos tensos, vibrantes, estaban listos para recibir la embestida. No había sentido nunca algo similar, era como si la sensación de peligro, el estado de alerta, espumeara en su interior aguzando los reflejos ante los más mínimos signos. Hay que estar al tiro. Al ti ro, las tres sílabas no dejaban de tamborilear dentro de su cerebro, y Benito esquivó el golpe de Erick girando sobre sus pies como si burlara a un toro de lidia. El impulso dejó al otro a su merced, indefenso: Erick de costado y sin equilibrio. Mas Benito se limitó a hundir un puñetazo en el hígado de su rival, y a verlo rodar engarruñado por tierra, ensuciándose la ropa y embarrándose de polvo la herida. Sus camaradas festejaron el golpe igual que si hubiera sido el definitivo, en tanto Erick se incorporaba con dificultad, retrocediendo.

Lo vio levantarse, oyó las burlas de los camaradas, sintió la rabia del sol y del polvo tostándole la piel ante la expectación callada y atenta de los habitantes del barrio, y se preguntó por qué no lo había rajado de verdad. Hubiera sido fácil: el puño con el que sacudió el cuerpo del otro era el que encerraba la navaja. Porque todo era absurdo, por eso no había hundido su filero en esa carne ajena, se respondió, porque ese enfrentamiento no tenía razón de ser. Benito no sabía nada de la vida de

Erick, no conocía a sus padres, ni la casa en que habitaba, ni su lugar de trabajo. Nada, salvo el nombre. Y eso porque uno de los camaradas lo mencionó en alguna ocasión. Sus mundos sólo entraban en contacto de tarde en tarde, cuando Erick cruzaba esa calle, la esquina donde ellos se reunían. Pero la raza lo exigía. Y él también, se dijo al verlo avanzar un paso, colocándose otra vez a distancia para la pelea. Benito apretó los dedos en torno a la navaja.

Decidió mantener su estrategia y esperar el ataque. Así había esperado las últimas tardes, siempre en esa esquina, soportando reclamos e insinuaciones de los amigos que no comprendían por qué no lanzaba el reto. Pero ahora la espera fue corta: Erick se abalanzó de lleno hacia él, torpemente, trazando con la navaja un círculo demasiado amplio y sin dirección, como si hubiera perdido la elegancia, la entereza y hasta el instinto, para terminar entregando a su enemigo un cuerpo abierto, desprotegido por completo. Igual que pelear con un niño, o con una mujer. De un manotazo contuvo ese ataque tan débil, y alzó la rodilla que se estrelló en los testículos del otro. Erick agachó su cuerpo adolorido y sin fuerzas, luchando por mantenerse en pie. Benito lanzó una mirada fugaz a su alrededor y, ahora sí, cruzó su navaja sobre la espalda encogida. La herida trazó una raya de sangre que partía del hombro y terminaba en la cintura.

Fue como el relincho de un caballo al recibir la marca. Erick gritó una mentada de madre y levantó el rostro hacia el cielo mientras jalaba más aire del que podía caber en sus pulmones. Era apenas la segunda vez que Benito escuchaba su voz. La primera había sido unos minutos antes cuando, aturdido por la insistencia de sus camaradas, se dispuso por fin a enfrentarse a ese desconocido que se portaba como si fuera el rey de la ciudad. Ya no había manera de eludirlo, la banda desesperaba por verlo trenzarse a madrazos para bajar de su nube a ese presumido. De eso habían hablado la noche anterior. La paciencia ponía su liderazgo en entredicho. Cuando Erick apareció en la calle todos se levantaron, alejándose unos pasos de Benito, que permaneció en la esquina. Avanzaba despreocupado, como cualquier día, hasta que se acercó al grupo. Entonces sonrió, mirándolo fijamente, como si él también hubiera entendido que había traspasado los límites. Benito le cortó el paso. "¿Qué me ves, camarada?". Erick retrocedió entonces un par de metros, sólo para quedar fuera del círculo que formaban los demás, y extendiendo los brazos hacia abajo, dijo tranquilamente: "Tú y yo solos. Saca la fila".

No era para tanto, se repitió de nuevo Benito. Pero ahora Erick tenía motivos de sobra: las dos heridas manchaban de sangre la tierra de la calle. Pálido, las facciones adquirían mayor tensión a cada segundo. Sólo en la mirada conservaba algo de su ironía habitual. Sería mejor aquí pararle, pensó Benito mientras de reojo veía a los camaradas: rostros alegres, pero aún insatisfechos. Seguramente deseaban más sangre, que el pleito llegara hasta el final.

Suspiró, sabiendo que los decepcionaría. Dos piquetes eran más que suficiente para guardar el honor de la raza, del barrio. De ahora en adelante Erick aprendería a bajar los ojos, o buscaría otro camino a su casa. ¿No exigían eso los camaradas? ¿Y Erick? ¿Qué quería él?, se preguntó Benito mientras veía cómo la sonrisa volvía a formarse en su rostro, esa sonrisa mitad furia y mitad burla que se acercaba rápido, a una velocidad sólo comprensible en otro ataque deficiente, lleno de torpeza; un lance de principiante, pero veloz, fuerte, afortunado. Lo supo cuando el cuerpo de Erick chocó contra el suyo, cimbrándolo, haciéndolo perder el equilibrio; cuando el aguijón de un insecto inmenso, duro y helado, se le clavó de un golpe bajo la tetilla izquierda; cuando cayó sobre la tierra; cuando el temblor del esqueleto le impidió levantarse a seguir peleando.

Soltó la navaja y apoyó los codos en el suelo. Erick lo observaba desde lo alto, y su sonrisa parecía ahora de desconcierto. El temblor se intensificó en los brazos de Benito, y pronto sintió cómo su cabeza caía sobre unas yerbas. Los camaradas comenzaron a rodearlo, asustados, los ojos muy abiertos, las palabras atoradas en la parálisis de la lengua. Nadie hacía nada. En su pupila relampagueó un rayo del sol que se ocultaba tras las casas del barrio. No había motivo para sacar las navajas, esto no era más que una estupidez, pensó una vez más mientras veía que Erick se acercaba a él. La sonrisa y la chispa de burla en sus ojos se habían trocado por una mueca de miedo. Enmedio del silencio que se hizo a su alrededor, lo último que Benito alcanzó a escuchar fueron los gemidos amorosos de una pareja de perros, y algunas puertas del vecindario que se cerraban.

El escaparate de los sueños

◆

La hilera de coches se extendía a lo largo de seis cuadras por la avenida Juárez. Sin detener su caminata de trancos firmes, Reyes levantó una mano a la altura de los ojos y, ya más o menos libre del resplandor del sol, se puso a contemplar a los automovilistas: mexicanos, gringos güeros y negros, un par de chinos o japoneses, la mayoría se mostraban hartos, con el rostro endurecido a causa del calor y de la media hora, por lo menos, que les llevaría recorrer a vuelta de rueda la distancia hasta las casetas de migración. A pesar de esas expresiones de sufrimiento sintió envidia: muchos traían aire acondicionado en el auto, en tanto él se conformaba con arrimarse al techo de los *mexican curios* para obtener un poco de sombra, o con aprovechar la salida de clientes de algún bar que derramara su aliento refrigerado hacia la calle.

Unos metros antes del puente se detuvo junto a un tambo de basura y extrajo un sobre del bolsillo del pantalón. Leyó los datos escritos al dorso y enseguida le dio vuelta para examinarlo por el otro lado. Luego se asomó a la boca del tambo, aspiró los efluvios a la vez agrios y dulzones que despiden los alimentos podridos, y su rostro curvó una mueca de asco. Levantó la cabeza en busca de oxígeno, se limpió con el sobre el sudor de la frente y volvió a mirar los desperdicios en el fondo, pensando que acaso era el mejor sitio para confinar su esperanza perdida: enmedio de tanto papel inútil, cáscaras fermentadas, envolturas de plástico y restos de comida a punto de agusanarse.

Arrojó el sobre dentro, y con andar desganado se internó en el puente internacional, cuyas veredas peatonales, al contrario de los carriles llenos de vehículos, parecían evaporarse en la soledad de la canícula. Sólo uno que otro peatón se aventuraba a cruzarlo a esa hora, rápido, con el cuerpo encogido, como si en vez del sol huyera de la policía norteamericana. Reyes saludó a los aduanales con un ademán, dejó atrás la zona de revisión y avanzó por la acera tratando de distraerse con los panorámicos que anunciaban ofertas en los centros comerciales de El Paso. No sentía ánimos para trabajar, menos para escuchar los histéricos regaños de las mujeres a quienes ayudaba con sus compras. Ni siquiera para reunirse con el Tintán, que ya lo había visto y lo aguardaba a un lado de la placa divisoria entre los dos países.

–Ese mi Reyes. Llegas tarde, carnal.

–¿Y los compas?

–Ya se fueron porque se acabaron las chiveras. Quedan puras ñoras locales, y ésas nomás traen una méndiga bolsita.

–Ni modo. Ya estaría...

A mitad del puente el sol se dejaba caer de lleno. Sin encontrar obstáculos, rebotaba en el cemento desnudo, en carrocerías y cristales, en las estructuras metálicas, creando un verdadero fuego cruzado que lo mismo lastimaba pupilas y piel. Mientras veía reír a una familia de gringos, encapsulada en el invierno de su Mercedes Benz, Reyes se secó el sudor, ahora con una mano, y supuso que si no traían cara de fastidio como los demás era porque en cuestión de minutos llegarían a su destino. Luego pensó en el sobre y se inclinó por encima del barandal para escupir al río un cuajo de resentimiento. Abajo el agua transitaba espejeante, tornasolada, absorbiendo sin resistencia los rayos solares que en ocasiones la tornaban turbia, semejante al flujo de un gran desagüe industrial. Al ver la lentitud del Bravo se reprochó por enésima ocasión su incapacidad para vencer ese pánico al agua en movimiento que había convertido en fracaso sus impulsos de cruzarlo a nado. Volvió a escupir.

–Se ve bien calmado –dijo el Tintán como si hubiera leído sus pensamientos–, pero no se te olvide que es el río más traicionero del mundo.

–Cuestión de saberle el modo...

–No te creas, compa. Ahí se quedaron muchos que le sabían el modo, como tú dices.

Reyes no contestó. Dio media vuelta hasta quedar de frente a las líneas de autos que, vistas desde ahí, eran semejantes a ferrocarriles de vagones deformes, y después perdió una mirada pensativa entre los edificios más altos de El Paso. Sólo conocía las partes visibles desde el puente, el Chamizal, o la orilla mexicana del Bravo, pero había deseado habitar en esa ciudad durante toda su vida. Por eso cuando empezaba a oscurecer y los compas abandonaban el puente para gastar las monedas del día en algún antro de la calle Mariscal, Reyes permanecía por horas en ese lugar, hipnotizado por el espectáculo de pirotecnia que eran las avenidas rectas bien iluminadas, los tubos de neón en la cumbre de los edificios, la sucesión de faros a gran velocidad que se deslizaban por los altísimos *freeways.* Y en invierno podía soportar las temperaturas bajo cero con tal de estar presente cuando la estrella luminosa del cerro fuera encendiendo cada una de sus puntas.

Su padre había trabajado ahí muchos años, en un almacén, y en sus visitas anuales a la familia siempre le aseguró que todo lo bueno del mundo procedía de El Paso. "Algún día te voy a llevar, hijo, nomás déjame conseguir el permiso, para que veas qué ciudad, ni Chihuahua es tan grande y moderna." A través de los relatos del viejo, Reyes la comparaba con su Guadalupe y Calvo natal, y en su mente El Paso lucía como el paraíso prometido, y el pueblo como un desolado caserío sin ningún futuro.

Cada fin de año la pequeña casa familiar se distinguía al llenarse de juguetes, ropa nueva, aparatos electrónicos, adornos de porcelana y latas de conservas que despertaban la envidia de los vecinos. Su madre y hermanos se sentían por una temporada los ricos del pueblo, y Reyes no paraba de imaginar cuántas maravillas más había en ese lugar mágico donde vivía el viejo. Era tanta su obsesión que si alguien hablaba de los Estados Unidos él pensaba sólo en El Paso; si mencionaban a los gringos, daba por hecho que se referían a los habitantes de esa ciudad; y al escuchar de pasaporteados, chicanos e ilegales, Reyes suponía que todos vivían ahí, nomás cruzando el puente. Incluso había soñado muchas veces con sus calles, tiendas, estadios deportivos y salones de baile, construyendo en su fantasía una urbe de cristal, armónica, transparente, donde esas cosas como de otro mundo que el viejo llevaba a Guadalupe y Calvo se podían obtener con sólo estirar el brazo.

–Pinches gringos, lo tienen todo –dijo–. En cambio nosotros bien jodidos.

–Así es la vida, mi compa –reflexionó el Tintán–. No nos queda más que seguir camellando pa vivir, aunque no vivamos bien.

–Deberíamos estar allá...

–No pienses en eso, mejor échate un frajo.

Reyes tomó el Camel de la arrugada cajetilla que le ofrecía su amigo. Sintió la expansión del calor cuando el cerillo tronó cerca de su rostro y cerró los ojos por un instante. El humo le supo picoso, amargo, pero tras la primera chupada su garganta se habituó y siguió fumando mientras observaba al Tintán. Lo encontró flaco, muy viejo para sus treinta, con la piel áspera, enrojecida a causa de las tardes pasadas en el puente, soportando la rabia del sol durante el verano y el hielo y la nieve en el invierno, sin más ocupación que la de esperar el paso de las mujeres para cargarse el lomo como burro con tal de ganar unos centavos. En esos ojos hundidos y mirada carente de destellos, Reyes pudo contemplar su propio futuro sin promesas, sin maravillas, sin nada que arrancarle a la existencia, y no tuvo valor para seguir mirando.

Para borrar la imagen pensó en su padre, a quien había visto en tan pocas ocasiones: siempre contento, satisfecho de hacer feliz a su familia por lo menos una vez al año con su presencia y sus regalos. Nunca pasó más de quince días en Guadalupe y Calvo, pero ese tiempo le bastaba para regresar a El Paso convencido de que el sacrificio de no verlos durante meses valía la pena. Sin embargo, la imagen sonriente del viejo también le recordó su ausencia, y Reyes mordió el filtro del Camel, le arrancó lo que quedaba de tabaco y lo aventó al río, donde se ahogó con un chirrido imperceptible después de dar una serie de piruetas en el aire.

Nadie de la familia supo el paradero del padre desde que, tras celebrar una navidad, les había anunciado que empezando el año nuevo se trasladaría más al norte, donde le habían ofrecido un empleo mejor. "Con lo que gane allá voy a poder llevármelos a todos, y entonces sí van a saber lo que es vivir en el país de los gringos, hijos, y a lo mejor hasta se consiguen una gabacha, digo, para blanquear un poquito la raza, ¿no?" Pero se quedaron esperando las noticias y, como nunca recibieron más dólares, Reyes tuvo que aceptar de mala gana los juguetes viejos de sus hermanos, la ropa heredada y las sobras de comida que la madre obtenía de sus parientes.

–Chale –pensó en voz alta.

–Sí, chale –repitió mecánicamente el Tintán. Luego dijo–: A todo esto, ¿por qué llegaste hasta ahora? ¿Te pegó la cruda por los tragos de anoche, o qué?

–No. Fui al correo.

–¿Noticias de tu jefe?

–Al contrario. Me devolvieron otra vez la carta.

–¿Otra vez? Uta... ¿Cuánto hace ya que no sabes de él?

–Muchos años.

–No pierdas la esperanza, compa. Así pasa con los que se van al otro lado. El día menos pensado aparece, ya verás.

Un claxon retumbó cerca de ellos, del lado americano. Después otro y otro más. Como si todos los automovilistas se hubieran puesto de acuerdo, en cuestión de segundos una variadísima gama de estridencias cimbraba el aire sobre el río Bravo. El cráneo de Reyes vibraba dolorosamente mientras hacía un esfuerzo por entender las palabras del Tintán, quien saltaba de gusto señalando al culpable, en tanto gritaba desgañitándose:

–¡Ese gringo pendejo! ¡Muy chingón tu clima, pero ya quemaste la troca!

Reyes localizó una pick up con el cofre levantado. Su dueño, un enorme gringo de overol, se deshacía en muecas de impotencia y abanicaba con las dos manos el humo que brotaba del motor. Por alguna razón, al principio Reyes había creído que se trataba de la familia del Mercedes Benz, y al comprobar su error sintió un extraño alivio. Pero no pudo pensar en ello. Los claxonazos eran como golpes de martillo que parecían desprenderle las placas del cráneo, abriendo brecha para que los rayos del sol se metieran hasta el centro del cerebro. Un incendio dentro de la cabeza. Desesperado, se tapó los oídos con ganas de gritarles a todos que se callaran, que esos ruidos del diablo no ayudaban; que al contrario, volvían el calor más insufrible. Mas no dijo nada y se dejó caer sentado sobre la acera, hecho una concha con brazos y piernas.

No supo cuánto duró el estruendo. Los autos volvieron a circular despacio y en silencio sin que él abandonara su posición a la orilla del puente. Cuando el Tintán lo vio en el suelo, aún con las manos en las orejas, corrió junto a él para ayudarlo a incorporarse. El rostro de Reyes se había puesto pálido y sus ojos miraban fijos al frente sin ver nada, como si hubiera sido víctima de un ataque. Ya de pie, fue presa de un temblor que lo sacudió por un instante y tuvo que sostenerse del barandal para no caer de nuevo.

–Mejor vete, compa. Te ves mal –dijo el Tintán–. Por la feria no te apures, yo te aliviano de lo que saque.

–No puedo –contestó Reyes un tanto más sereno.

–Te haría bien dormir, ya ves cómo te pones luego.

–¿Dónde va el Mercedes?

–¿Cuál Mercedes? –preguntó el Tintán desconcertado.

–Olvídalo. No sé lo que estoy diciendo.

Sin hacer caso de la preocupación de su amigo, Reyes siguió con la mirada la dirección de la línea, auto por auto, hasta el área de casetas. Y al no distinguir el vehículo que buscaba pensó que seguramente ya se hallaba en El Paso. Lo imaginó entrando a una colonia residencial, de calles anchas y extensos parques donde jugaban los niños, hasta llegar al garage de una casa pintada con colores pastel. Tal como había creído que su familia viviría cuando acompañaran al viejo a El Paso.

Tras la muerte de la madre los hermanos olvidaron al desaparecido. Sólo Reyes continuaba enviando cartas cada tres o cuatro meses a la última dirección que él les diera en la ciudad de Chicago. Y aunque cada envío devuelto terminaba sin abrir en la basura, el escrito nunca variaba en esencia. Después de repasar tantas ocasiones la historia de la familia, agregando detalles de tiempo en tiempo con el fin de ser más preciso, o noticias como el deceso de algún pariente lejano o el nacimiento de un sobrino o sobrina, en dos pliegos de letra irregular pero siempre apretada Reyes transcribía los acontecimientos importantes de los últimos años. Narraba la desaparición del mayor de los varones luego de alistarse en el ejército, la muerte de otro de los hermanos en un pleito de cantina. Describía las bodas de sus hermanas; la sequía que por más de un lustro asoló Guadalupe y Calvo, matando lentamente a los animales y malogrando las cosechas al grado de convertirlo en la pobre caricatura de un pueblo fantasma. Pero sobre todo centraba su relación en la muerte de la madre, quien había acabado sus días en un parto difícil, cuando daba a luz al décimo de sus hijos nueve meses después de la última navidad en que estuvo la familia reunida.

Una ráfaga de aire caliente lo sacó de sus pensamientos. Provenía del Bravo y era semejante al eructo de un animal gigantesco. Reyes se estremeció y se asomó al lecho para ver cómo la superficie turbia del agua era barrida por el viento, arrancada igual que una cáscara hasta dejar expuesto el interior del río, transparente y fresco como brote de manantial. Luego vino otra corriente de aire, menos cálida, y Reyes agradeció la larga caricia que por unos instantes le hizo la vida más llevadera. Casi de buen humor se volvió al extremo del puente. Una anciana acababa de abandonar El Paso y venía caminando por la acera. Cargaba a duras penas tres bolsas de supermercado.

–Órale, mi Tintán –dijo Reyes–. Es toda tuya.

El Tintán reaccionó rápido y la anciana, que sólo había estado esperando un ayudante, de inmediato le echó las bolsas encima. Reyes vio que su amigo hacía malabares con la carga y se ofreció a darle una mano, mas el otro rechazó la ayuda y Reyes permaneció en mitad de la acera con el sol como única compañía. Sus rayos ahora caían de manera oblicua, dando a los coches en línea la apariencia de una serie de espejos guiñando sus destellos al enorme vacío del cielo. Entonces Reyes volvió a mirar los edificios de El Paso: con esa iluminación parecían pintados con tonos distintos de un mismo color, como si el tiempo también transcurriera diferente en esa ciudad, desvaneciendo la pintura tan sólo en la mitad de ellos. Se acercaba el atardecer y los ojos de Reyes seguían una ruta recorrida antes mil veces: se deslizaban en el vértigo de las carreteras aéreas, ascendían la estrecha cumbre del cerro de la estrella, volaban con un helicóptero por encima de la ciudad, se detenían finalmente a descansar en el anuncio panorámico donde una rubia daba la bienvenida a los visitantes.

De pronto se sintió vigilado. Miró de reojo a los autos cercanos y descubrió que una niña lo contemplaba desde el asiento trasero de un Volvo. Pelirroja, la cara color de rosa muy vivo, tenía las manos sobre el cristal de la ventanilla y sonreía como si lo estuviera saludando. Reyes le devolvió la sonrisa y dio un paso bajo la acera para acercarse, pero se detuvo en seco al contemplar su propio rostro en el reflejo del vidrio: aunque no tan avejentada como la del Tintán, su piel lucía las marcas de una larguísima espera a la intemperie. Los ojos ofrecían un mirar resignado, sin emoción, y la boca, incluso al sonreír, se apretaba en una línea recta de malestar. Le debo dar miedo, pensó. Ya iba a retroceder cuando la niña se movió tras el cristal, y entonces al reflejo de su rostro se sumaron los rasgos de la chiquilla en una confusión espectral cuyo resultado fue la imagen de un Reyes infantil, ajeno a preocupaciones y fracasos. La visión lo hizo sentirse ligero, sin peso sobre los pies, capaz de levantar el vuelo en cualquier momento.

Sin embargo, al tenerlo cerca los padres de la niña se mostraron inquietos, y tuvo que retroceder al fin, no sin antes darse cuenta de que la madre era rubia y el padre un poco más moreno que él. Gabacha pura la morra, pensó Reyes y recordó las palabras del viejo acerca de blanquear la raza. Él hubiera querido verme con una mujer y una hija así, se dijo. Y la angustia se le hizo nudo en el estómago al pensar que, de haber podido ir con su padre a El Paso, ahora tendría una familia de niños hermosos y felices, y un Mercedes Benz comprado con su trabajo nomás para pasearla, y viviría en una colonia llena de jardines, en una residencia de tres plantas y paredes claras. Sólo por eso esperaba noticias del desaparecido. Por eso seguía enviando cartas que no tenían respuesta. Por eso pasaba cada día de su vida en ese puente que no era otra cosa que un escaparate para contemplar de cerca los sueños.

–Ya no estés pensativo, compa –el Tintán regresó haciendo sonar en la mano unas monedas–. Mejor vete a descansar.

–No he sacado nada. Voy a esperar de perdida un viaje.

–Te trae jodido lo de tu jefe, ¿verdad? Ya te dije: cuando menos lo esperes lo ves por aquí.

–No quiero que venga. Lo que quiero es irlo a buscar.

–Como andan los gringos ahora, está cabrón. Ya ves a cuántos retachan.

–También hay algunos que se les pelan...

Dos líneas dejaron de avanzar y enseguida tronaron varias cornetas. Ahora no, por favor, suplicó Reyes sintiendo cómo sus sienes comenzaban a palpitar. Antes de que pudiera taparse los oídos los automovilistas arremetieron con claxonazos cada vez más iracundos. Las piernas perdían firmeza, el esqueleto le vibraba al son de las bocinas, una intensa náusea se abría paso a través de sus entresijos y Reyes tuvo que cerrar los ojos para eludir el acceso de vómito que ascendía por su garganta. Cuando escuchó su nombre enmedio del estruendo creyó que se trataba de su imaginación. De cualquier modo entreabrió los párpados y vio que el Tintán le hacía señas:

–¡Ey! ¡Ponte chango! ¡Esa vieja viene bien cargada y es de las que dan buenas propinas!

Una mujer gorda y morena, con el cabello teñido de rubio, acababa de pagar el peaje y venía arrastrando de las correas cuatro maletas enormes. Reyes la vio como entre brumas, un poco a causa del ruido, un poco por la náusea que le distorsionaba la vista, y otro poco porque el sol comenzaba a ocultarse. Seguro es una chivera retrasada, pensó, aquí saco por lo menos un dólar, y dio los primeros pasos sin mucha seguridad, sosteniéndose del pasamanos. Volteó hacia donde el sol iniciaba su caída en las aguas del Bravo, y su resplandor púrpura todavía tuvo fuerza para herirle el fondo de la mirada.

El piterío no cesaba, mas disminuyó un poco conforme Reyes fue avanzando hacia donde un Grand Marquis atravesado entre dos líneas obstruía el tráfico. Ahí más que claxonazos se oían gritos. No le fue difícil adivinar lo sucedido: en su impaciencia, el conductor del Grand Marquis intentó ganarle el paso a un viejo Falcon que se retrasaba, y éste lo chocó en su afán de no ceder. Ahora los dos hombres discutían violentamente, y era obvio que no les importaba la histeria de los demás. Como el choque había sido a unos metros de las casetas, varios agentes gringos dejaron su puesto para calmar los ánimos e intentar poner a circular las líneas.

El primer auto tras el accidente era el Volvo. Al ver a Reyes, la niña pelirroja le sonrió de nuevo mientras agitaba una mano para llamar su atención. Él se acercó y, con un movimiento raudo, unió su mano a la de la chiquilla por encima del cristal y continuó su camino antes de que los padres lo advirtieran. De pronto había desaparecido la náusea. Las piernas recuperaron la entereza y, a pesar del ruido, el temblor en las sienes lo abandonó. Levantó la vista hacia la rubia del anuncio de bienvenida, cuyos ojos ahora parecían seguirlo sólo a él, y sintió cómo esa sonrisa perfecta se le derramaba por dentro del cuerpo llenándolo de energía.

Pasó por el sitio del choque, y casi tropezó con otros agentes de migración que iban a prestar ayuda. Se acercó a la chivera, quien desde que lo había visto caminar hacia ella dejó de arrastrar las maletas. Tenga cuidado con estas dos porque son muy frágiles, dijo la mujer, pero se quedó pasmada cuando Reyes pasó de largo sin voltear a verla siquiera, hasta internarse en el túnel que conducía a la caseta de peaje.

Adentro el silencio era increíble, como si los autos y los gritos estuvieran a kilómetros de distancia. No había calor. Ningún agente en la ventanilla de cobros. Nadie entraba al puente del lado gringo en esos momentos. Reyes se apoyó en la pared y con un salto ligero pasó por encima del torniquete. Continuó caminando sin más testigo que un vagabundo rubio que lo miró con indiferencia. Llegó a la boca del túnel sin pensar, sin escuchar algo distinto al taconeo de sus zapatos, y siguió sin detenerse hasta la calle abierta impulsado por un ímpetu que nunca había sentido.

La ciudad lo recibió con la semipenumbra del atardecer. Las sienes volvieron a latirle, pero ahora era a causa de la emoción. Dentro del pecho el corazón le crecía, se hinchaba oprimiéndole con fuerza las costillas y la espalda. Finalmente estaba en El Paso. Lo supo porque alzó la mirada y ya no encontró a la rubia del anuncio. Porque el laberinto de calles anchas que tenía delante era igual al que había construido en su fantasía. Porque el rumor constante del Bravo, la rabia del sol, el infierno de claxonazos, habían quedado atrás.

Entonces la gritería creció y se añadieron a ella los ladridos de unos perros, el fragor de pisadas firmes sobre el pavimento, gente que corría, órdenes urgentes. Creyó distinguir entre el tumulto la voz del Tintán, acaso animándolo, acaso haciendo escándalo para distraer a los agentes, y sonrió agradecido. No volteó, aunque los gritos y las carreras se oían muy cerca. No supo si venían por él. En la primera esquina dio vuelta y sus ojos se toparon con un paisaje ya conocido de árboles, prados, casas hermosas y niños jugando por la calle. Mientras a su mente acudían vertiginosos los relatos de su padre sobre la ciudad de sus sueños, fue apretando el paso hasta correr con todas sus fuerzas.

Traveler Hotel

◆

La fiebre aprieta su cuerpo y los estertores se suceden tan rápido que se han convertido en una larga y constante sacudida. Hace unos minutos, cuando aún no perdía completamente la visión, pudo distinguir a David entrando al cuarto. Supo que era él porque su silueta se proyectó como mancha de tinta contra la desnudez del muro, y porque ninguno de los ancianos se acercaría con esa prestancia a su lecho de enfermo para darle de beber. Lo que no pudo distinguir fue si la trepidación del vaso contra sus dientes se debió a una sacudida en las manos de su amigo, o a su propia barbilla cimbrándose por la calentura. Cualquiera que haya sido la causa, el agua se le derramó en el pecho y su piel agradeció la ofrenda como si se tratara de un bálsamo. Después David salió de la habitación y Gonzalo quedó nuevamente solo, prisionero en ese cuerpo ardiente, oprimido por la penumbra que minuto a minuto fue espesándose hasta volverse oscuridad total.

Ahora que lo piensa, la entrada de David al cuarto le dio la sensación de participar en una película muda: no escuchó su voz, a pesar de que su amigo nunca se quedaría sin hablar al encontrarlo consciente; tampoco oyó el taconeo de sus botas cuando se acercaba por el pasillo, ni el rechinido de la puerta. Acaso, como la ceguera, se deba al aumento de la fiebre. O a la calma que envuelve el hotel por dentro, donde paredes y piso engullen la mayoría de los sonidos.

Aunque no tan absoluto, el silencio se les había hecho presente desde que entraron al hotel. Apenas se cerraron tras ellos las dos hojas de cristal y fue como si hubieran dejado atrás el mundo. De golpe se esfumaron la prisa, el nerviosismo, el raspar interminable del viento sobre las calles, el miedo a las presencias extrañas que con el ocaso abandonan sus cubiles para salir a las aceras. Desapareció el frío, ese aliento polar con el que David y él nunca esperaron toparse en San Antonio a media primavera, y que los había torturado hasta la médula desde el instante de bajarse del autobús.

Oscurecía y era preciso hallar alojamiento. La gente comenzaba a abandonar las calles: pequeños grupos se arremolinaban en las paradas a la espera del autobús o de un taxi. La mayoría de los negocios había cerrado sus puertas y una soledad inquietante brotaba de todos los rincones, recrudeciendo el frío y aplastando el ánimo de los recién llegados. Un paisano que salía de su trabajo en un almacén les informó que ahí mismo, en el centro, podrían encontrar un par de hoteles baratos en donde nunca se paraban los agentes de migración. Todavía caminaron más de media hora, resistiendo a pecho descubierto las ráfagas heladas que se multiplicaban en cada esquina, sin que sirviera de mucho cruzar los brazos o taparse la boca con las manos. Los hoteles no se veían por ningún sitio y Gonzalo comenzó a estornudar.

–Ya traes la nariz muy quemada, compadre –le dijo David–. Más vale que encontremos pronto dónde dormir, o te va a dar pulmonía.

Gonzalo no respondió. Se limitó a subir el cuello de su camisa y a caminar rápido, buscando un poco de calor en la fricción de las piernas. San Antonio lucía como una ciudad evacuada. Únicamente algunos autos se deslizaban raudos por las calles, dejando a su paso un zumbido triste. A través del tiritar de su cuerpo, Gonzalo vio una familia de mendigos acurrucada en el reducto más escondido de un portal, apretujándose dentro de sus andrajos hasta cobrar la apariencia de un montón de trapos, y por un instante se llenó de envidia, pues esos trapos se veían más calientes que su camisa de algodón y su pantalón de mezclilla. Las patrullas vigilaban despacio en las encrucijadas, y ellos intentaban esconder su condición de fuereños con paso seguro, sin voltear a ver los edificios para no mostrar asombro ante esa urbe desconocida.

–Mira, ése es uno de los hoteles.

Los temblores han ido perdiendo intensidad y se han vuelto un tanto esporádicos, pero aún se siente sumamente débil. Débil y cansado, piensa, como cualquiera de los habitantes de este edificio. Ha dormido muchas horas desde que David vino a darle agua. La fiebre sigue exprimiéndole la piel y el sudor escurre hasta empapar las sábanas. La garganta le arde y la lengua, inmóvil, está como remachada al paladar. No puede ver nada; tampoco oye. Lentamente extiende el brazo izquierdo hacia el buró en busca del agua. Un dolor agudo que nace en los dedos le acalambra hasta el hombro y de su pecho brota un gemido. Es la vida que regresa, piensa y tensa la mandíbula. Los miembros entumidos lo devuelven a un sueño en el que se hallaba postrado sobre un terreno de tepetate, allá en el pueblo, expuesto al sol del mediodía que secaba el agua de su cuerpo lentamente mientras, a unos metros de él, un pozo no dejaba de reverberar. El enorme silencio del desierto se cernía en torno suyo, y el único movimiento era el de los zopilotes sobre su cabeza. En el sueño sabía que iba a morir y fue esa certeza la que le arrugó el corazón, empujándolo a despertar a esta oscuridad y a este otro silencio en los que también desfallece de sed.

Aguanta el calambre y lleva la mano al buró. Enseguida ubica el vaso, alegrándose cuando comprueba que está lleno de agua. Moja tres dedos en él y una urgencia momentánea le da fuerza para tomarlo y llevárselo a los labios. Bebe a grandes tragos. Después lo deja sobre el buró y recorre al tacto la superficie de madera. Su mano topa con un plato. Reconoce una manzana, un plátano, una pieza de pan. Junto al plato encuentra unas tabletas minúsculas que se lleva a la boca sin pensarlo dos veces. Agua, comida, medicinas, le dan la certeza del fin próximo de la enfermedad. No está solo. David debe de andar por ahí, en alguna parte de ese hotel al que llegaron juntos y del que seguramente partirán juntos.

–Traveler Hotel –dijo David.

A primera vista ninguno de los dos reparó en la fealdad del edificio. Sólo les interesaba abandonar de una vez por todas ese viento gélido que traspasaba ropa y piel para engarrotar músculos y huesos. Pero ahora, en la negrura que le barre la vista dentro de los párpados, lo reconstruye con la nitidez y el asombro de la primera mirada: más que antiguo, el edificio es un vejestorio a punto de sucumbir. Paredes llenas de grietas cuya capa de pintura más reciente se desvaneció hace años; ventanas sin cortinas, con vidrios pringosos iguales a ojos atacados por cataratas. Sin embargo, el frío, la calentura de Gonzalo y el cansancio de la caminata hicieron que a sus ojos no fuera una ruina, sino el único refugio al alcance de la mano. Un refugio para salvaguardarse del clima, de la hostilidad de un país extraño, para reposar la enfermedad, para hacer una escala antes de continuar el viaje.

–Está feo –dijo David al acercarse a la puerta–. Pero por una noche aguanta.

Gonzalo ya no tenía ánimo ni para hablar. Una oleada de fuego se le venía abajo desde la nuca hasta los talones y de ahí trepaba por delante, haciendo un alto cerca de las ingles, para luego metérsele en el pecho que fuelleaba como si acabara de subir una montaña. El malestar le distorsionaba la vista, y creyó ser presa de alucinaciones cuando vio a la primera anciana ocupada en meter ropa en una secadora: obesa, pero de piernas y brazos flacos, actuaba como un maniquí lento, pesado, mecánico. Al volverse hacia ellos mostró una dentadura carcomida, cuyo marco eran unos labios pintados en exceso. Con sus ojillos de reptil los vio a través de un ventanal, y Gonzalo se sintió vigilado por un par de pupilas apagadas, por un ser que carecía de vida. Después de contemplarlos a los dos, la anciana se fijó sólo en David, a quien sonrió con coquetería lastimosa en un intento por lucir joven. Agitó la cabeza y la peluca rubia se fue de lado, dejando ver su calva poblada por unos mechones de pelusa brillante. Horrorizado, Gonzalo le dijo adiós forzando una sonrisa, en tanto su amigo esbozaba una mueca de burla antes de empujarlo a la recepción.

En esos momentos no pudo pensar, pero ahora, mientras muerde con dificultades la manzana, con dos almohadas bajo la espalda para enderezarse, recuerda claramente la impresión que le produjo el sitio: iluminaba la recepción una lámpara débil que hacía difícil la visión y sin embargo contrastaba con la oscuridad de la calle. El hotel por dentro tenía un aspecto ordinario, y al principio no reparó en las personas sentadas frente al mostrador. Sólo al cruzarse con un cuerpo encorvado y tembloroso, cuyas manos se aferraban al respaldo de una silla para no caer, se dio cuenta de que todos eran viejísimos. Ancianas y ancianos negros, blancos, hispanos y hasta orientales, cada uno de ellos en el límite de la existencia, se acomodaban en hilera, como si esperasen turno para morir. Manos trémulas, espaldas vencidas, pieles arrugadísimas, cráneos apenas cubiertos por hebras aisladas que les daban el aspecto macabro de las muñecas sin greñas. Gonzalo nunca se había sentido tan cerca de seres humanos a un paso de extinguirse.

Debido a esa luz difusa aquellos ojos, cuyas pupilas flotaban sueltas sin fijarse en ningún sitio, parecían abatirse sobre ellos como si quisieran advertirles lo que les deparaba el futuro.

–¡Queremos un cuarto! –gritó David frente al mostrador.

En el momento en que la voz de su amigo resonó en la bóveda de la recepción, los ancianos fueron recorridos por una especie de sobresalto. Aunque antes no había ningún ruido, ningún movimiento perceptible, al romper el grito la calma por un segundo, la hizo después más patente, profunda, como si la agitación provocada por David hubiera sacudido incluso paredes y muebles.

Nadie acudía al llamado y Gonzalo comenzaba a desvanecerse. Las piernas le fallaban, pero se negaba a ocupar un lugar junto a los viejos. El silencio lo aturdía casi tanto como esas pupilas muertas que lo miraban desde otro tiempo. De pronto el sitio empezó a girar, y se sintió fuertemente asido por la cintura. David lo tomó de la muñeca y lo hizo pasarle el brazo alrededor del cuello para sostenerlo. El tenue resplandor se le hundía hasta el fondo de los ojos. Quiso adivinar de dónde venía esa luz vaporosa, y el deseo de encontrar su fuente y diluirse en ella se le volvió tan imperativo que por un instante imaginó que era posible formar parte de ese mundo distinto, oculto en algún lugar detrás de los muros. Lo único que lo mantenía unido a su cuerpo eran el brazo de David y la voz que le llegaba desde lejos, susurrándole al oído:

–No te me desmayes, Gonzalo. Espérate. Ya nos van a dar el cuarto.

Luego se sintió arrastrado hasta un sofá. David lo recargó suavemente en el respaldo y lo dejó ahí para volver al mostrador. Una respiración reptante lo hizo darse cuenta de que estaba entre dos ancianos, y trató de enfocar la vista en ellos. Ni por un segundo se habían vuelto hacia él: no parecían haber advertido su presencia. En sus rostros cenizos se estampaba una absoluta indiferencia hacia los sucesos del mundo, a lo que acontecía fuera de su piel ajada. Su único interés era el de pasar un día, un rato, un minuto, sin permitir la llegada de la muerte.

–Cómo se tardó el amigo –dijo David al momento en que lo tomaba nuevamente del brazo para levantarlo–. Nomás hay un cuarto disponible. Parece que es un hotel de pensionados.

Después de un sueño largo y profundo, la sensación de que alguien ha estado en el cuarto lo despierta. Piensa en David, a quien no ha vuelto a ver, pero la presencia que recuerda en la habitación durante su duermevela es la de un hombre de paso cansado y lento deambular. Uno de los ancianos quizá. Abre los ojos y se alegra al percibir una ínfima claridad. La fiebre cede, aunque los temblores todavía le cimbran los huesos. Junto a su cama encuentra otra vez agua, fruta, pan y ahora también hay dos latas de jugo de naranja. Apenas empieza a comer cuando nota que el silencio persiste y caen a su mente, igual que mordeduras en las sienes, las imágenes de los recuerdos vividos como en una pesadilla: las calles de la ciudad vaciándose de seres humanos, el cascarón ruinoso del edificio visto por fuera, el espectro de la anciana en la lavandería y la corte que los recibió al entrar.

Oye sus pensamientos dentro del cráneo rebotando con un eco interminable: no tiene sentido, no puedo estar viviendo esto, nada es real. Intenta abandonar la cama, pero la debilidad vuelve a tirarlo sobre el colchón. Los rostros de los viejos no le dan un segundo de respiro, y Gonzalo se repite que se trata de una historia escuchada en algún lado, uno de esos cuentos de horror que se contaban los amigos del pueblo al caer la noche, o un programa de televisión que se le revolvió con las alucinaciones producto de la fiebre. Echa una mirada a su alrededor y trata de adivinar inútilmente cuánto tiempo lleva ahí, cuántas horas, días o semanas han pasado desde que David lo metió al elevador y prácticamente lo arrastró hasta este cuarto donde ahora convalece.

–No te duermas, Gonzalo, ya estamos aquí –dijo David en el pasillo.

Llegar al piso donde les habían designado habitación representó para él, envuelto en fiebre, el alivio después de pasar el encierro del elevador. Casi inconsciente, colgado del cuello de David, asomó la cabeza al pasillo sólo para comprobar que no había ancianos en él. Aun cargándolo, David se desenvolvía como en su casa. El número de la llave correspondía a un cuarto situado al fondo, junto a una ventana que daba a la calle. Todo lucía normal ahí, mas conforme avanzaban rumbo al extremo, el piso se le fue revelando a Gonzalo con un aspecto tan extraño como el de la recepción. Siniestras aquellas dos hileras de puertas clausuradas, cada una igual a la anterior, como bloques de piedra que impidieran la salida a sus moradores. Al arribar al fondo del pasillo tuvo la certeza de encontrarse en una caverna estrecha, de muros enlamados, de la que sería imposible escapar. Y toda la realidad volvió a disiparse ante él.

Se desplomó sobre el colchón y, mientras esperaba a que David se diera un baño, se sumergió en un letargo, empujado por la agradable temperatura del cuarto. No se durmió: con vista borrosa recorrió el escaso mobiliario que lo rodeaba: dos camas individuales y un buró enmedio, un maltratado tocador sin espejo sobre el que había un televisor; sin cuadros, únicamente decoraba la pared un reloj al que no parecían haberle dado cuerda por lo menos en una década. No había mucho en qué entretenerse y la modorra era cada vez más pesada.

David volvió del baño y creyéndolo dormido encendió el televisor. La imagen ausente, sólo aparecían el zumbido y ese fondo nevado, como de puntos grises y blancos que de tanto en tanto forman figuras indefinidas. Cambió a otro canal, luego a otro, a otro. Por fin, en la pantalla surgió un predicador con una biblia en la mano y una enorme cruz en el pecho. Increpaba en un inglés colérico a los televidentes y de sus ojos brotaban chispas. David volvió a cambiar varias veces de canal y un rato después, tras probarlos todos, apagó el aparato.

Apagó también la luz y una atmósfera espesa se expandió en la habitación. El silencio provocaba que los ruidos más comunes, un carraspeo de David o el rechinar de los resortes del colchón, se magnificaran y le provocaran sobresaltos. Gonzalo sentía cómo su cuerpo inmóvil iba siendo presa de las oleadas de la fiebre, y volvió los ojos hacia el reloj de pared como si esperase que repentinamente empezara a emitir un imposible tic tac, rescatándolo de esa calma fantasmal. El cansancio estiraba cada vez más fuerte, y las arremetidas de la fiebre actuaban como una anestesia que vencía sus pensamientos. Cuando ya caía en un sueño sin retorno, los ronquidos de David lo hicieron recordar la marca del miedo en el rostro de su amigo apenas iluminado por la luz del televisor, cuando con voz agónica y creyendo que no lo escuchaba dijo:

–Nunca debimos haber venido.

De nuevo ha sudado durante toda la noche y la humedad y la fricción de su espalda contra la cama le han abierto algunas llagas. El ardor áspero lo sustrae de una pesadilla en la que, a la cabecera de una mesa rectangular, jugaba al póker con varios ancianos. Mientras se esfuerza por despejarse viene a su memoria la última escena: los viejos sonríen con bocas desdentadas al mostrarle sus cartas, y abren desmesuradamente los ojos, mirándolo con atención desde unos globos amarillos a punto de reventar. Perder el juego significa morir y Gonzalo, lleno de asombro, se ve a sí mismo envejecer enmedio de los demás: su rostro, convertido en una blanda masa de barro, evoluciona rápidamente hasta la deformidad de los cadáveres. La sed le quema paladar y garganta, y al volverse hacia el buró para tomar la jarra se da cuenta de que se mueve con un poco más de soltura. Ya no nota el roce de las sábanas o de la ropa sobre la piel, ya no le duele el cuerpo. Sólo lo aqueja un terrible cansancio y una pereza mental que le impiden arrancarse del cerebro la reciente pesadilla.

A pesar de que aún tiembla y se siente débil, sus ojos alcanzan a distinguir los objetos del cuarto, y cuando se sirve en el vaso, el sonido cristalino del agua, un tanto lejano, le anuncia el fin de la sordera. Toma su medicina y come algo de fruta. Luego se sienta sobre el colchón, con los pies apoyados en el suelo, cerca de donde se encuentra la bacinica. Desea levantarse, mas no está seguro de que los resabios de la enfermedad le permitan caminar. Su respiración sisea, y procura normalizarla, pero el cansancio pesa sobre los hombros, en la espalda, en los riñones, en las rodillas. Intenta ponerse de pie y un ahogo repentino le oprime el pecho. Teme caer asfixiado sin que nadie se dé cuenta. Decide esperar.

La pesadilla persiste en su memoria. Los ojos ciegos, la sonrisa desnuda de los viejos, la putrefacción de su propio rostro, se han clavado en su mirada y los ve dondequiera que voltee. Piensa en su vida anterior a este viaje, a este cuarto, y descubre que sólo puede recordar secuencias aisladas, fragmentos diluidos en la memoria. De pronto se concibe como un despojo más de los que pueblan el hotel, sin ninguna esperanza; y tratando de sacudirse ese pensamiento es cuando repara en la cama contigua: deshecha, las almohadas guardan la concavidad de un cráneo y el colchón rastros de uso reciente, como si alguien acabara de levantarse. Aunque las provisiones nunca han faltado y la bacinica siempre luce limpia, desde la primera noche no ha vuelto a ver a David. Se aclara la cabeza y, tanto como sus ojos se lo permiten, inspecciona las huellas en la cama, angustiándose al concluir que no corresponden a su amigo: el hueco en el colchón es demasiado breve, lo mismo el de la almohada; David no deja de moverse en toda la noche y las sábanas se encuentran casi intactas. Es uno de los viejos, se dice abatido: David me dejó con los ancianos.

Con el rostro oculto entre las manos se repite que no es más que un espejismo producto del cansancio y la enfermedad, de la desconfianza que le provocara desde el principio internarse en un país ajeno, de la sensación vívida, jamás sentida hasta hoy, de que la desgracia también puede alcanzarlo. Porque ahora recuerda que durante su último delirio, justo antes de la pesadilla del póker, abrió los ojos y se encontró cara a cara con el ser más viejo que ha visto en su vida. Ese rostro, más bien una careta semitransparente de arrugas morenas, lo examinaba con una mueca de compasión mientras le ponía una mano sobre frente y mejillas, como tomándole la temperatura. Él se sabía casi ciego y lo identificó con un mal sueño. Cerró los ojos, sólo para volverlos a abrir cuando ya el anciano se alejaba, con la espalda hecha arco, aferrándose al picaporte de la puerta para no ser traicionado por la fragilidad de sus piernas. Inmediatamente después, Gonzalo volvió a dormirse.

El miedo aumenta la presión en sus pulmones. Quiere dejar el cuarto, salir del hotel. Huir por el pasillo sin mirar las puertas clausuradas, ir escaleras abajo y correr por esas calles desconocidas hasta encontrar a David donde esté y molerlo a golpes por haberlo convencido de venir y después abandonarlo enmedio de un rebaño de momias. Pero sabe que las piernas jamás le responderían. De sólo pensar en caerse se estremece. Siente lástima de sí: flaco, con el pellejo colgándole de todos los miembros a causa de la convalecencia; la vista, el oído y los músculos débiles. Sería peligroso incluso andar por la habitación. De pronto repara en que su miedo debe ser semejante al de cualquier viejo y se encoleriza. No. No puede pensar como ellos, que ya tienen la muerte adentro. Decide salir como sea.

Logra incorporarse. Las rodillas se separan, tensándole las piernas en una parábola al dar los primeros pasos. La columna vertebral resiente su peso, y Gonzalo se sostiene del tocador para no caer. Un cosquilleo le recorre la piel por debajo, y a cada paso su torrente sanguíneo se acelera. Debe forzar la vista para no tropezar con los dobleces de la alfombra, pero finalmente llega a la puerta. La abre con dificultad y el rechinido, aunado a la irrupción en un espacio distinto, lo aturde, obligándolo a detenerse en el cancel. Una luz que no supera a la del cuarto ni a la del pasillo se interna por la ventana, y Gonzalo la mira como si fuese la ruta hacia la salvación. Mas, conforme se acerca, el vértigo provoca que la imagen del cristal se mueva, descomponiéndose, tornándose borrosa. Logra controlar un mareo y mira hacia afuera: el trozo de ciudad que se muestra ante sus ojos, solitario e inmóvil, da la impresión de estar situado en un recodo del tiempo en el que los hombres fueran tan sólo memoria y los edificios estuvieran a punto de sucumbir en la soledad.

Se vuelve hacia el pasillo, donde al final lo espera el elevador. La distancia aparenta ser larguísima y reúne todas sus fuerzas para recorrerla lo más pronto posible. Se apoya en las paredes, rodeando despacio los sillones olvidados fuera de los cuartos. A medio camino, cuando el flaquear de las piernas lo urge a detenerse, escucha el giro de los goznes de una puerta, semejante al gorgoteo de una tubería tras el muro. Voltea y se encuentra con una anciana que sale de su habitación. Sus rostros casi se tocan. Al ver de cerca esos ojos húmedos Gonzalo oye dentro de su cerebro el grito desgarrador de la vieja, cuyas facciones sin embargo no abandonan la impasibilidad. El grito hace que en sus sienes rebote un trueno: el miedo se le ha vuelto sólido, palpable, como un millón de alfileres moviéndose en todas direcciones dentro de su cabeza. Intenta rodear a la mujer igual que lo ha hecho con los muebles y por poco pierde el equilibrio. Ella lo sostiene del brazo. Enseguida le ofrece su bastón. Gonzalo vence el asco que le causa el contacto con esa mano descarnada, agarra el bastón y lo asienta firmemente en el suelo. Luego continúa su camino sin mirar atrás.

Dentro del elevador es como si un tubo oscuro y sin fin lo absorbiera. El descenso se torna infinito. El aire se convierte en una nube gelatinosa que se pega al cuerpo y penetra por todos los poros de la piel. Quiere recordar su pasado, imaginar su futuro, pero el ruido del elevador al detenerse casi le hace estallar los oídos, regresándolo al presente. Las rodillas están a punto de doblarse por la inercia, y Gonzalo se va hacia atrás. Su espalda azota contra la pared, enmedio de un crujir de huesos y gemir de músculos. No cae. Logra mantenerse en pie y contener las lágrimas aun cuando el dolor vibra a través de su cuerpo. La puerta automática se abre al fin, dejando entrar una bocanada de aire que acaricia sus mejillas.

En la recepción la atmósfera es acuosa, semejante a la del interior de un barco hundido. Todo luce blanco y trémulo: el cabello de los huéspedes, su piel, sus batas, las paredes, el aire. Las cosas despiden un resplandor fantasmal que Gonzalo no recuerda haber visto al llegar al hotel. Esa atmósfera lo agobia. Hace que su respiración vuelva a ser difícil. Parpadea con el fin de hurtar la mirada al brillo, y recorre los rostros de los viejos como lo hizo la primera vez. Nadie parece reparar en su presencia. El mostrador se encuentra vacío. Es la oportunidad. Ahora puede huir de una vez por todas. Abandonar el hotel, la ciudad, el país, y regresar a la seguridad tranquila de su pueblo, del que nunca debió haber salido.

Pero no logra ver la entrada. Avanza hacia el centro de la recepción ante la indiferencia de los ancianos y desde ahí escudriña cada uno de los rincones. Da vuelta sobre sus pies una, dos veces, y sin que aparezca la puerta el salón empieza a girar en un vértigo que le clava el terror en la boca del estómago. Mareo, náuseas, nuevos temblores. Enmedio del silencio, Gonzalo sólo escucha el entrecortado resoplar de sus pulmones. Un grito de angustia se le atora en la garganta y de sus dedos resbala el bastón que va a dar al suelo con un chasquido. La violencia del ruido atrae la atención de algunos de los viejos. Uno de ellos se incorpora en tanto Gonzalo, tambaleándose e intentando dominar un acceso de vómito, alcanza a sujetarse del mostrador.

Recuerda al fin por dónde entró al edificio y voltea en esa dirección sólo para encontrar uno más de los muros que cierran el espacio. No puede ser cierto, piensa al tiempo que sus rodillas se agitan como si fueran a romperse. Toca la campanilla del mostrador desesperadamente y los chillidos del metal hacen voltear a los ancianos. Ahora todos los ojos lo ven sin parpadear, atentos, y esos rostros sin vida parecen sonreírle llenos de simpatía. El viejo que se ha puesto de pie avanza hacia él como si respondiera al llamado de la campanilla. En su andar lento, arrastrado, en sus torpes ademanes, en sus ojos amarillos y sus arrugas oscuras, Gonzalo reconoce al anciano que le llevaba agua y comida. El mismo que vio salir de su habitación. Se acerca despacio, dominando apenas la debilidad de sus piernas delgadas, el sacudirse intermitente de cada una de sus manos. Su sonrisa es de compasión, casi amorosa, como la de un padre que ve sufrir a uno de sus hijos.

Gonzalo lo observa y, paralizado, se aferra al mostrador con ambas manos en busca de refugio. Sólo entonces repara en sus propios brazos pálidos llenos de manchas, en el dorso arrugado de sus manos, en que el temblor de sus miembros es igual al de cualquiera de los huéspedes. Se toca el rostro y lo halla flácido y rasposo, con bolsas debajo de los párpados, surcos profundos cruzándolo en todas direcciones. Lleva la mano a la cabeza, donde en vez de pelo encuentra una mata de escasas cerdas ásperas y gruesas, y las lágrimas por fin brotan de sus ojos al imaginarlo totalmente cano, como el de los viejos que lo rodean. Tan blanco como el de ese anciano, entre cuyas arrugas ahora reconoce el rostro envejecido de David, que ya llega para sostenerlo y abrazarlo antes de que estalle en llanto como un niño desamparado.

Viento invernal

◆

El dolor ha dejado de punzar sólo en el vientre y se desparrama por el cuerpo de Celia arrastrando ardores olvidados, intensificándolos, como si tomara nuevos bríos para volver a concentrarse, esta vez en el pecho, y estallar finalmente en un primer grito que sacude las paredes. Ya no aguanto, murmura, y sus palabras se empalman con el eco angustioso que aún no abandona el cuarto. No quiero, dice en voz alta y enseguida se corrige: no lo quiero. Dirige la vista hacia el catre donde duerme su hijo enfermo apenas cubierto por una sábana, temblando, tosiendo débilmente, coronado su rostro por una hilera de gotas de sudor. No lo ha perturbado la voz de su madre, ni la sed, ni el hambre, ni el frío; continúa dormido desde la noche anterior, como si se negara a despertar enmedio de la miseria.

Celia gime de nuevo y al ver que no interrumpe el sueño de Marcelino cambia de posición en busca de una que mitigue sus malestares. No fueron iguales durante el primer parto, recuerda mientras sus pulmones jalan el aire sucio de la habitación, acaso porque la ilusión de darle un hijo a Silvestre aliviaba entonces el sufrimiento. Además, al nacer Marcelino, su madre no se le había despegado hasta que el llanto agudo del niño puso fin a todas las apuraciones.

El cuarto en penumbra, iluminado a medias por la luz débil y grasosa de una lámpara, parece más grande de lo que es en realidad. Celia lo contempla desde el rincón, intentando distraerse del volcán que brota en sus entrañas. No siente bajo su cuerpo la aspereza del suelo, ni la humedad del ambiente, ni siquiera el frío del aire que se cuela por las junturas de la puerta. Sólo puede sentir el desgarrón constante en su interior y la angustia de ver al niño engarruñado sobre el catre, con la respiración ronca y agitada, como si fuera víctima de una pesadilla. Se palpa el vientre hinchado y las punzadas la obligan a doblarse. Maldice al niño a punto de nacer, se maldice a sí misma y levanta los ojos para también maldecir a Dios, pero un espasmo se lo impide y de su boca sólo emerge una queja ahogada.

Piensa dejarlo morir en cuanto nazca. En los últimos meses esa decisión fue tomando forma en su cerebro embotado por la espera, el trabajo diario, la soledad y el apremio de macho que la tortura cada noche al llegar a su cuarto. No matarlo, sólo abandonarlo en cualquier callejón, en alguna esquina, para que el invierno se encargue: dejarlo presa del frío, de ese frío del diablo que Celia no había conocido sino hasta llegar al norte, del hielo, de la nieve, pero sobre todo del viento incansable que no deja de silbar y atraviesa puertas y paredes para revolcarse gélido en cada rincón.

No ha cesado de nevar en los últimos días y junto a la puerta del cuarto un charco de aguanieve amenaza con escurrirse hacia ella. Celia lo mira con desprecio, mide los avances de ese minúsculo riachuelo erizado de escarcha que se mueve lento en su busca, y como en un desafío aparta de sí la cobija. Suda: gruesos goterones resbalan de su cabellera revuelta. Ve a su hijo que sufre un acceso de tos ronca, perruna, y extendiendo con dificultad un brazo le echa la cobija encima. El calor repentino parece sofocar la tos, disminuye un poco el ritmo de su respiración, pero no lo despierta. Celia se incorpora a medias, se arrastra hasta recargar la espalda en la pared, y el movimiento le arranca una serie de gemidos débiles. Desde esa posición ve claramente el bulto que forma Marcelino: semeja un palpitante enredo de telas. Ve también sus propias piernas abiertas, llenas de moretones y raspaduras, y la enorme protuberancia del vientre. Apoya la nuca en la pared y respira hondo una y otra vez. Espera a que llegue el momento de echar fuera ese cuerpo extraño que la habita.

No quiere tener otro hijo. Nunca lo ha deseado, como tampoco deseó al hombre que una tarde se convirtió en su sombra al salir del tercer turno. Tras envolverla con su labia y meterse con ella al cuarto, quitó a Marcelino del catre y lo sacó al patio, para después treparsele encima sin preámbulos ni ternuras ociosas, en una penetración torpe y carente de entusiasmo, antes de desaparecer por siempre de su vida. No tuvo remordimientos: Silvestre andaba lejos y nunca lo sabría. Mas como el encuentro no le dejó ninguna satisfacción, no buscó repetirlo.

Al transcurrir los meses comenzó a sospechar que el atraso no se debía a las malpasadas, ni al exceso de trabajo en la maquiladora, ni a los desvelos a que la sometía el llanto de Marcelino por las madrugadas. Un rápido examen médico fue la prueba de lo que no quería saber: había quedado preñada: en sus entrañas crecía un hijo que no era de su marido: una noche de compañía inútil la había dejado con una nueva carga y más sola que nunca desde la partida de Silvestre.

El niño vuelve a toser y la cobija sobre su rostro amortigua el sonido convirtiéndolo en el chillido de una rata. Celia pasea la vista por las sombras del cuarto en busca de una imagen que la ayude a no sentir nada. Ubica un crucifijo de plomo clavado en la pared y trata de rezar alguna oración aprendida en su infancia. Las ha olvidado, y el dolor en el vientre no es un estímulo para recordar. Piensa entonces en su madre, cuya vida va repitiendo paso a paso: ella nunca supo explicarle a su marido el origen del hermano de Celia, nacido durante una ausencia de él en la capital. Recuerda al hombre a quien casi nunca había visto, enfurecido, arrojando con violencia al niño lejos de él, para continuar con la golpiza que tendió a su madre en cama más de un mes, y la prolongada miseria que siguió a la pérdida de su empleo como sirvienta.

No volvió a saber de su padre. Su madre siguió pariendo niños y niñas sin que nadie le preguntara de quién eran, mientras pasaban los años y la anciana dejaba energías y juventud en pisos y recámaras de casas ricas en León o Guanajuato. Celia tampoco ha tenido noticias de Silvestre, pero sabe que algún día regresará del norte, con dólares suficientes para que ella no tenga que volver más a la maquiladora. Va a regresar por su mujer y su hijo, murmura en tanto posa los ojos en la cobija que cubre a Marcelino. Luego se mira el vientre con rencor: por ti no, tú nomás estorbas.

Cuando reunió el dinero necesario, le dijeron que ya era muy tarde. Ni comadronas ni médicos aceptaron el riesgo. Celia reaccionó cuando el embarazo iba muy avanzado, y una interrupción hubiera sido muy peligrosa para todos. Quiso entonces forzar el aborto realizando las labores más duras en el trabajo, pasando hambres, incluso golpeándose el bajo vientre en momentos de desesperación. No hubo resultado: la vida se abría paso dentro de su cuerpo, en contra de su voluntad. Finalmente tomó su decisión: lo escondería mientras pudiera, y cuando fuera demasiado notorio renunciaría a la maquiladora y cambiaría de casa.

No es nada, no va a pasar nada, se repite Celia con los párpados apretados, las manos abiertas sobre el vientre como si sostuviera su peso, nomás lo envuelvo en unos trapos y lo dejo en la banqueta; con tantita suerte y alguien lo encuentra antes de que se muera... Un dolor que rápido se convierte en grito interrumpe sus pensamientos. Luego deja escapar un quejido largo. Enseguida jadea una y otra vez hasta recuperar la serenidad. Lo demás sería sencillo: con sólo no pensar en él, la vida, el trabajo, los cuidados a Marcelino harían lo demás y el asunto quedaría olvidado.

Las punzadas ceden al grado de tornarse soportables. El niño en el catre permanece quieto, dormido, con la respiración abrupta como indican las palpitaciones de la cobija. Celia deja resbalar la espalda por la pared hasta quedar nuevamente recostada en el suelo. Se acurruca cuanto puede e intenta descansar. Poco a poco la falta de fuerzas la hace caer en el sopor que antecede al sueño, y en él se instala el recuerdo de su llegada a la frontera, hace más de un año, después de que Silvestre decidiera que no tenían ningún futuro en el pueblo. Pero ya en el norte las cosas se habían complicado: el dinero sólo ajustaba para una pasada y Silvestre la convenció de que buscara un empleo ahí en la ciudad y lo esperara junto con el niño mientras él se iba a probar suerte en el otro lado. Cuando reuniera un poco de dinero regresaría por ellos.

La debilidad y el cansancio la vencen y pierde la noción de las cosas. Duerme, acaso un par de minutos, pero despierta al escuchar su propio alarido. Algo que se le desprende por dentro la impulsa a sentarse. Cara y manos hinchadas, siente que va a reventar. Ve salir de entre sus piernas un líquido viscoso y abundante, al tiempo que un inmenso vacío atraviesa su cuerpo. Bajo su piel se extiende un ardor de fuego, como si la sangre hirviera inflamándole las venas. Todos los miembros le tiemblan cuando se sostiene de una de las patas del catre, hasta que logra ponerse en cuclillas. Un estremecimiento la hace cimbrar el lecho de su hijo, pero con un vistazo comprueba que Marcelino sigue inmóvil. Su respiración ya no es tan agitada, apenas si se nota. Celia se muerde los labios para contener los gritos, no quiere despertarlo. Le quita la cobija de encima para ponerla en el piso, enmedio de sus piernas, y ve al niño sereno, durmiendo al fin libre de pesadillas y malestares. Intenta acariciarlo pero ya no alcanza a estirar la mano: una tortura inmensa le hace saber que su cuerpo se parte en dos, y un alarido le revienta la garganta y se confunde con el de la masa morada y sanguinolenta que resbala lentamente hacia la cobija.

Celia recupera la conciencia al sentir que un insecto de patas húmedas camina por su pierna desnuda. Extenuada, la cabeza le da vueltas y el silencio de la habitación le pesa como una plancha de hierro pegada a los oídos. Abre los ojos y se encuentra con el techo del cuarto, lleno de las manchas amorfas que la humedad ha ido plasmando durante muchos inviernos. Vuelve a sentir un roce en la parte interior de la pierna y la sacude, pero al hacerlo algo le jala el estómago por dentro como si fuera a arrancárselo. Con un respingo se sienta sobre el suelo y ve la mano del recién nacido arrastrándose sobre su muslo sucio, embarrado de lo que parecen restos de alimento; el ombligo como una culebra muerta que lo ata al interior de su vientre. Por fin te eché fuera, dice con voz apagada, y toma al bebé con sus dos brazos, sin levantarlo demasiado. El niño emite un ruido débil, semejante a un balbuceo, pero ella no lo escucha: voltea para todos lados, buscando algo que la ayude a terminar de desprenderse de él.

Se levanta sin hacer caso de su cuerpo adolorido y camina dos pasos hasta un viejo fregadero. Cada movimiento le provoca punzadas en el vientre. Con una enorme dificultad abre un cajón y de su interior toma un cuchillo. Luego se sienta en el catre. De un zapato infantil toma una agujeta para apretar el nudo. Corta el ombligo como quien parte una tripa de chorizo y acuesta al recién nacido junto a Marcelino, quien no se ha movido de su posición. Todo el frío del cuarto se le viene encima ahora que ha dejado atrás el sudor y los dolores más intensos, y sus ojos se topan en el suelo con la cobija empapada de sanguaza. Escuincle del demonio, murmura, echaste a perder la cobija, ya no va a servir para nada, ni para enredarte en ella. Vuelve a ponerse de pie, ahora con un poco más de soltura, y camina hasta un mueble. Hurga en un cajón hasta encontrar un rebozo que se echa encima de los hombros y un vestido viejo con el que piensa envolver al niño. Regresa junto al catre y por primera vez mira al recién nacido con atención: es igual que Marcelino al nacer, sólo que más grande, más fuerte. Con razón me doliste tanto, piensa, y empieza a romper las costuras del vestido.

El viento helado que corre libremente fuera del cuarto forma ondas minúsculas en el charco bajo la puerta, derramándolo más hacia adentro, y Celia se estremece de frío. El recién nacido mueve los brazos y la cabeza torpemente, aún sin abrir los ojos. Su piel está enrojecida, en algunos sitios amoratada. Celia lo contempla un momento, pensativa, con los retazos en la mano. Mientras más pronto mejor, murmura, y comienza a envolverlo con la delgada tela. Cuando lo voltea para taparlo por detrás, una de las manos del bebé cierra sus dedos sobre un mechón del cabello de Marcelino y lo aferra con una fuerza imposible en él. Celia se da cuenta, y diciendo ¡deja en paz a mi hijo!, le da un manazo en las nalgas que lo hace soltar un chillido. Luego lo toma en brazos, dispuesta a salir con él inmediatamente.

Abre la puerta y una corriente de aire mete al cuarto una nube de plumas de hielo enmedio de una bocanada heladísima que la obliga a volver a cerrarla. La visión del recién nacido tirado entre la nieve se le clava dolorosa en la mente, y regresa hacia el catre con el bebé contra su pecho. Se sienta, sin dejar de apretar al recién nacido, y clava los ojos por un rato en una grieta de la pared. Luego se levanta decidida, pero un dolor la desploma de nuevo sobre el catre que rechina bajo su peso. Voltea hacia Marcelino y lo mira con los ojos muy abiertos, como si de pronto no lo reconociera. Lo sacude una, dos, tres veces mientras repite en voz cada vez más alta: Marcelino, Marcelino. No se mueve. Entonces Celia lo gira hasta dejarlo bocarriba y comienza a palpar el rostro, el cuello, el estómago, mientras el bebé hunde su cabeza entre los pechos de ella como si supiera que ahí se encuentra su alimento. Los ojos de la mujer se humedecen y su mano pasa de la piel fría del niño al calor del recién nacido, antes de ir a su escote para liberar los botones de la blusa. Con la mirada perdida quita la sábana que cubre a medias el cuerpo de su hijo en el catre, y con ella envuelve al recién nacido que goloso busca con la boca la punta del pezón. Y le acaricia la cabeza aún sin pelo mientras con voz ronca y llorosa murmura: Ya estaría de Dios, te vas a llamar Marcelino.

Los últimos

◆

–Ya no dilata en hacerse noche –dijo la madre y su voz se confundió con los cercanos sollozos del río, con el aire que ya comenzaba a cimbrar los matorrales.

El padre no respondió. De pocas palabras, volvía significativos sus silencios. Se quitó el sombrero para mirar el horizonte donde el cielo se teñía de un gris apenas azulado, como si a lo lejos se levantara una nube de polvo y amenazara con sepultarlos. Luego miró hacia arriba: una media luna turbia de color pajizo vigilaba el crepúsculo, atestiguando la soledad del caserío.

–Le voy a decir a Epitacio que le apure con la leña –la mujer se alejó presurosa.

Los perros ladraron y uno de ellos desafinó un aullido. El padre acarreaba a varios marranos hacia el corral ante la indiferencia de los niños que se entretenían jugando con tierra. Arreció el aire, aunque no había trazas de lluvia. Socorro apareció por una vereda; de sus manos colgaban dos botes con agua hasta el borde que al escurrir dejaron tras ella un rastro semejante a una columna de hormigas mantequeras. Entró a dejarlos junto al anafre y enseguida salió para ayudar a su padre con los puercos.

–Papá –su voz vibraba como si algo la oprimiera desde dentro del pecho dejándola salir poquito a poco–, el río ya empezó a agarrar fuerza. Viene crecido. Hace unos ruidos horribles.

El padre le acarició la nuca. Ella se abrazó contra su pecho y dejó escapar un quejido breve. Después se volvió hacia los jacales que conformaban el pequeño poblado. Lucían como si nadie hubiese vivido nunca en ellos. Sólo algunas urracas picoteaban los techos de palma, aprovechando las últimas luces del día para improvisar un nido.

–Todos se fueron ya, papá. ¿Por qué nosotros nos quedamos, pues?

Achicando los ojos, el hombre miró largamente el paisaje a su alrededor: la loma calva y el agua que se perdía por su costado, arbustos entretejidos en una especie de bosque chaparro; corrales vacíos, como esqueletos truncos y rectos que alguna vez formaron parte de la vida. Más allá, el árido cementerio de montículos y cruces de madera podrida, donde descansaban sus ancestros amontonados unos con otros.

–Aquí nacimos –dijo–. Ésta es nuestra tierra.

–Pero, papá... –Socorro se interrumpió. No hallaba los argumentos. Finalmente dijo–: tengo miedo.

Iba a decir algo para consolarla pero se detuvo al ver a su mujer y a Epitacio que venían cargando atados de leña. El rostro de su hijo mayor denotaba nerviosismo. La madre hablaba con él.

–... no te mortifiques, no va a pasar nada. Lo que tenemos que hacer es quedarnos juntos.

Entraron a la casa y acomodaron la leña en el piso de tierra, a un lado de la pared. La madre dijo "enciéndela" y luego llamó a los niños adentro. Remolonearon un poco, pero un manazo en la cabeza del más pequeño los convenció de meterse. Con ellos en casa, la mujer salió y se dirigió al corral.

–Vénganse para adentro ustedes también. Ya casi es de noche.

Socorro obedeció, entrando detrás de su madre. El padre se quedó recargado en las trancas del corral. Contemplaba a los animales que se removían inquietos en sus límites de palo. Más tarde miró el resto del caserío. El cielo casi se había vuelto negro, excepto en un rincón lejano donde daba la impresión que de la tierra brotaba lumbre. Entre las sombras los jacales abandonados semejaban ser más grandes, más altos, como si el terreno desde el que él los observaba se hubiera hundido al caer la noche. Alcanzó a escuchar ruidos vagos que provenían de ellos; roces, trepidaciones, crujir de madera. Quizás algún animal andaba dentro. El aire barría la yerba, agitaba matorrales, ramas de árboles, la palma de los techos. En piedras y recodos roncaba el agua del río. Comenzaron a gruñir los perros. Un coyote aulló cerca y, enmedio de un sobresalto, el hombre llevó la mano de manera instintiva hacia el machete. La voz de su mujer por poco lo hizo pegar un grito.

–Métete, por favor –el tono era de súplica–. ¿Qué no ves que ya oscureció?

Antes de entrar al jacal volvió a mirar la luna. Cercenada por la mitad, se había convertido en una sonrisa burlona que alentaba al coyote a entonar nuevos aullidos. Varios pájaros revolotearon en un árbol cercano. Desde adentro surgió el llanto de uno de sus hijos. El hombre acarició a los perros, rascándoles el pescuezo hasta que dejaron de gruñir. Luego lanzó un escupitajo a la oscuridad, cerró los dedos en torno a las cachas del machete, y entró azotando la puerta de madera.

Detrás de él, el viento levantó un remolino de polvo apenas alumbrado por la luna.

Dos quinqués iluminaban el interior del jacal donde la madre, el padre, Epitacio y Socorro bebían unos pocillos de café en torno al calor del anafre. Los niños se habían dormido después de cenar. La luz débil se volvía amarillenta al posarse sobre esos rostros morenos, crispados por el silbido de ese aire que se internaba por debajo de la puerta, hacía sisear la palma del techo, golpeaba la madera en la única ventana.

–Ya empezó.

Socorro perseguía el origen de todos los ruidos. Su mirada iba de las paredes a la cama, después a la ventana y se perdía en el techo. De pronto la puerta crujió como si fuera a romperse, y ella se agachó hasta esconder el rostro entre sus piernas. El llanto la hacía sacudir el cuerpo engarruñado. La madre se acercó para abrazarla, murmurándole unas palabras al oído. El padre contemplaba la escena con dientes apretados, pálido, el cuerpo endurecido.

Poco a poco el viento arremetía más fuerte. Las paredes de adobe temblaban y en las esquinas se desprendía tierra, como si todo fuera a venirse abajo. Un violento chiflón serpenteó bajo la puerta y apagó uno de los quinqués, al mismo tiempo que varios coyotes aullaron al unísono provocando que los perros ladraran con furia. Ahora la luz sólo llegaba a medio jacal, y desde la oscuridad uno de los niños gimió en la cama como si estuviera a punto de gritar entre sueños.

–Ahí viene –dijo Epitacio con voz quebrada.

Padre e hijo se miraron en silencio pero enseguida desviaron los ojos con vergüenza. En una lenta caricia, la madre untaba la mano en el pelo y la espalda de Socorro, que había dejado de llorar. Afuera el viento concedía un espacio de calma que ya duraba varios minutos. Socorro levantó la cabeza y la recargó en el hombro de su madre. Epitacio tomó del anafre la jarra de peltre y llenó de café los cuatro pocillos.

Entonces a lo lejos se escuchó un rumor sordo, como de miles de pasos acercándose a marchas forzadas, y el aire se llenó de olor a chamusquina, a quemazón de yerba y carne, a animales muertos y agua podrida. Los perros enloquecieron. Ladraban y gemían entre gruñidos y tarascadas rabiosas como si pelearan unos con otros a causa de una hembra en celo. Luego se alejaron velozmente, en una persecución ciega hacia el fondo de la noche, mientras en el corral los animales hacían crujir las trancas al querer escapar.

Socorro se puso de pie. Sus ojos otra vez cuajados de angustia se clavaron suplicantes en los de su padre.

–Papá...

Pero él permaneció quieto, la mano distraída sobando con nerviosismo su pierna, apretando la rodilla; los ojos muy abiertos hacia la penumbra, sin saber qué hacer para dar calma a los suyos. Fue la madre quien reaccionó. Primero volvió a encender el quinqué apagado. Enseguida arrimó leña al interior del anafre donde la lumbre se extinguía, y diseminó yerbas de olor sobre las brasas con el fin de ahuyentar la pestilencia que venía de afuera. Más tarde, encaminándose al extremo del jacal, rebuscó dentro de una caja y volvió con un rosario blanco en las manos.

–Vamos a rezar –dijo y se sentó junto a su hija.

El tiempo se detuvo en tanto los padrenuestros y las avemarías sofocaban los ruidos del exterior. La monótona repetición de las oraciones, las letanías interminables, el lento goteo del rosario en las manos de la madre, se internaron como una droga en la sangre de cada uno hasta aflojar el nerviosismo. El padre suavizó las líneas de su rostro, su mano al fin reposaba sobre el muslo. Epitacio, al igual que su madre, mantenía los ojos cerrados y bisbiseaba su rezo. Socorro veía fijamente las brasas en el anafre. Más que rezar sin voz, su mandíbula continuaba tiritando a causa del miedo. Ella era la única que no podía olvidar los ataques del viento contra las paredes y el techo, los olores infernales, los lejanos sonidos del río que ahora parecía vociferar como si se hubiera levantado de su cauce.

–No pienses –le dijo su madre al concluir una letanía–. Nada más ten fe. Reza con nosotros.

–Es que no puedo...

El rumor de pasos, que se había detenido unos instantes, volvió a escucharse con mayor fuerza. Ahora era posible distinguir también galopes de caballos, rechinar de ruedas, aleteos de pájaros gigantescos y voces alteradas y gritos que nada tenían que ver con los humanos. Por momentos llenaba el espacio un llanto animal, de dolor infinito, seguido de un bramido interminable que se iba levantando por debajo de la tierra, como si un terremoto sacudiera el caserío. Las llamas en los quinqués se tornaron trémulas, luego disminuyeron hasta extinguirse. Epitacio y su madre dejaron de rezar al sentir que la oscuridad se echaba sobre sus espaldas. Sólo quedaron las brasas del anafre para medio iluminar desde abajo los cuatro rostros: la palidez que les imprimía el resplandor rojizo se acentuaba con el rictus de pavor.

Todos se estremecieron cuando un trueno estalló por encima del caserío. La madre soltó el rosario que cayó sobre las brasas. Socorro no pudo contener un grito. Enseguida hubo otro trueno, y otro más. El cielo parecía romperse pedazo a pedazo, inmovilizándolos, hasta que el llanto de los niños los hizo reaccionar. Socorro y la madre corrieron a la cama y se tendieron sobre ellos para protegerlos con sus cuerpos. En el jacal cundía de nuevo un olor a chamuscado, y Epitacio advirtió que el rosario comenzaba a arder. Lo sacó del anafre quemándose los dedos. Algunas cuentas y la cruz de madera se habían ennegrecido y despedían una espiral de humo gris apenas visible en la penumbra. El único que permaneció inmutable fue el padre, pero sólo en apariencia: los ojos vivísimos y la crispación de sus manos indicaban la tormenta que había en su interior, la lucha que libraba consigo mismo, con el miedo, con la impotencia.

Apenas la madre y Socorro habían logrado dormir a los niños nuevamente, los truenos volvieron a aparecer, seguidos de un ulular agónico que venía de muy lejos. La pestilencia se hizo más penetrante y enseguida, a través de la ventana, se escucharon con claridad una serie de jadeos provenientes de una respiración inmensa. El padre se levantó y clavó los ojos en el rectángulo de madera que vibraba como si alguien lo sacudiera desesperado. Lentamente extrajo el machete de su funda y lo mantuvo en alto, listo para atacar.

De repente Epitacio dio un salto y se llevó las manos a la espalda. Retorcía el cuerpo, sacudiéndose como si quisiera librarse de alguna alimaña. Su cara se había congelado en un grito que no alcanzó a echar fuera.

–¡Qué te pasa! –gritó el padre mientras blandía el machete en dirección a su hijo.

–¡Me tocaron! –alcanzó a responder el muchacho antes de correr a la cama junto a los demás–. ¡Sentí que alguien me agarró!

No había tiempo para encender ninguna de las lámparas. Socorro se adelantó hacia Epitacio y le revisó cuidadosamente la espalda, en tanto el padre rastrillaba con la punta del machete el pedazo de tierra donde había estado el muchacho. Nada. Sólo su sombra proyectada sobre los adobes de la pared por el escaso resplandor de las brasas: una mancha vacilante que se volvía aún más deforme a cada movimiento. Los hijos y la mujer se apretaban unos a otros en la cama, abrazados, envueltos en un solo espasmo histérico, los ojos fijos en la figura paterna.

El hombre no sabía si echarse a un lado de los suyos o permanecer firme, de pie en el centro del jacal, para defenderlos. Decidió buscar unos cerillos y prenderles mecha a los quinqués; y cuando la llama amarilla estuvo otra vez atrapada en las campanas de cristal, los ruidos afuera comenzaron a aplacarse y el olor a muerte fue alejándose poco a poco del lugar.

–Recoge el rosario y pásamelo –dijo la madre y su voz aguda rebotó en las cuatro paredes, corriendo libre entre tanto silencio.

El hombre tomó el rosario y lo arrojó a las manos de su mujer. De inmediato giró bruscamente sobre sus huaraches, pues junto a la puerta había estallado el ruido seco de una pedrada. Listo para asestar el golpe, levantó el machete y avanzó dos pasos hacia la entrada del jacal. Se detuvo, escudriñando con nerviosismo las tablas de madera. La calma era densa, pesada, sólo se reconocían en ella los resuellos de sus hijos, de su esposa, el suyo propio. Bajó el arma despacio, hasta descansarla en el suelo, pero pronto la volvió a subir: un murmullo muy leve se oía afuera. Luego se hizo más claro: era el sonido de unos pies pisando firme cerca de la casa. Se escuchaba también una respiración sollozante. El padre agachó la cabeza, acercándola a la puerta, y por sus venas corrió el pánico cuando, afuera, lo que parecía llanto se transformó en risa y todo el peso de un cuerpo se precipitó contra la puerta que apenas resistió enmedio de un estruendo de rechinidos y crujir de astillas. Socorro chilló en la cama. La madre exclamó un avemariapurísima. El padre reaccionó tardíamente, echándose hacia atrás mientras lanzaba un machetazo que fue a encajarse en el quicio de adobe.

Los golpes afuera se repitieron. Se alejaron de la puerta sólo para multiplicarse en cada uno de los muros con un tamborileo semejante al de una granizada, hasta rodear por completo el jacal y volver a fatigar aun con más saña las tablas de la puerta. Enseguida la madera chirrió cuando las uñas de una mano comenzaron a arañarla sin prisa, sin furia, como quien toca al paso cualquier superficie con distracción. Era igual a una súplica y, al mismo tiempo, una amenaza mortal. Cuando el chirrido cesó, los pasos y las risas crecieron. Se alejaban y volvían, dando vueltas interminables al jacal. El padre se había quedado estático.

–Ven a rezar con nosotros –dijo la madre.

–No. Eso no sirve –su voz había cambiado: era ronca, furiosa–. Voy a salir.

–Por favor no salga, papá –rogó Socorro–. Es mejor quedarnos todos juntos.

–¡Que no! –gritó el hombre. Alzó el machete por encima de su cabeza y abrió la puerta.

Un sosiego más intenso que todos los ruidos anteriores se internó en la casa. Los hijos y la mujer observaron aterrados al hombre que se detuvo en el umbral. Como si la luna se hubiese desplomado al suelo, una luz extraña lo iluminaba de frente y su sombra gigantesca no cabía en la pared contraria. Lucía sorprendido ante la calma exterior. Sus ojos se hundían en los rayos lunares y le daban una expresión demente. Durante unos segundos encaró el horizonte y su resplandor; después lanzó a su familia una mirada llena de ternura, como pidiéndoles disculpas, y se metió en la noche tirando machetazos al aire mientras vociferaba todo el miedo y todo el rencor que traía atorados entre pecho y espalda.

–¡No nos vamos a ir! ¡Aquí nacimos! –alcanzaron a escuchar que gritaba–. ¡No van a poder sacarnos de aquí, hijos de la chingada!

Epitacio, los niños y las mujeres todavía oyeron los ladridos de los perros, que desde la lejanía daban la bienvenida a su amo, antes de que la puerta se cerrara dejando el interior del jacal en silencio.

–... bendito el fruto de tu vientre, Jesús.
–Parece que ya terminó.
–Vamos a completar el misterio, hijos.
–Ya falta poco para que amanezca.
–No piensen en eso. Vamos a seguir rezando.
–¿Y mi papá?
–Que recen...

Los niños pequeños dormían profundamente, arrullados por las oraciones. Horas atrás, las últimas brasas del anafre habían terminado de convertirse en cenizas. El petróleo de uno de los quinqués se fue consumiendo, hasta que su ascua desapareció, dejando escapar un débil hilo de humo antes de apagarse. El otro quinqué conservaba una llama apenas semejante a la del cabo de un cerillo. Las tonalidades ocres daban al interior del jacal la apariencia de una cueva sellada por un derrumbe. Persistía el olor a leña, y una mezcla de la combustión del petróleo y emanaciones de los cuerpos.

Afuera un viento suave movía los matorrales y las ramas de los árboles; las hojas rozaban unas con otras emitiendo un murmullo conocido. No se escuchaba la corriente del río.

Epitacio se incorporó y fue hacia un rincón. Empezó a hurgar entre trastos y herramientas inútiles, provocando sonidos metálicos que acallaban los rezos y retumbaban en las paredes. Socorro y la madre interrumpieron el rosario, atentas a lo que hacía. Al fin encontró una vieja hoz, mellada en el filo y cubierta con manchas de orín antiguo. La contempló unos momentos, pensativo, y luego caminó con decisión a la puerta.

–Voy a buscar al viejo.

–Tú te quedas aquí –dijo la madre en un tono que no admitía cuestionamientos–. Tu padre ya no ha de tardar y lo que debes hacer es poner lumbre para café.

Epitacio dudó unos instantes. Miraba alternativamente a su madre y a la puerta, como si considerara lo que más le convenía. Enseguida contempló la hoz; pasó un dedo por la curva del filo varias veces. Resolló a manera de obediencia resignada y se puso en cuclillas para preparar la leña.

–Mientras, seguimos con el rosario –dijo la madre y continuó una letanía.

Después de la partida del hombre la noche se había ido silenciando. La madre había arrojado sobre las brasas un puñado tras otro de yerbas aromáticas, sin dejar de repetir todos los conjuros que sabía, hasta que los olores extraños se alejaron definitivamente. Entonces se concentraron en las oraciones, sin prestar atención a las brasas, ni a las caprichosas sombras que los quinqués estampaban en las paredes de adobe.

Sólo de vez en cuando llegaban hasta ellos los ruidos de la noche violenta, aullidos de coyotes a los que seguían las lejanas maldiciones del padre, acompañadas del ladrar de los perros. Ya no hubo truenos, ni risas, ni estremecimientos de tierra por debajo de sus pies. El viento dejó su furia y el río de bramar, regresando a la tranquilidad de su cauce. Únicamente unos pasos lentos, como de alguien a quien le pesan las piernas, se acercaron a la casa un par de veces; luego se escuchaban arañazos en la puerta y los pasos se iban. Pero hacía varias horas que no volvían.

Ahora el miedo que los embargaba era por la suerte del padre, y por la angustia de estar solos.

–Deberíamos irnos, madre –dijo Epitacio mientras veía cómo la lumbre iba tomando fuerza en el interior del anafre.

–Sí –lo apoyó Socorro–. No tenemos nada que hacer aquí. Ya no hay nadie más.

–¿Cómo que no tenemos nada que hacer? –dijo la madre airadamente–. ¿Y nuestros padres y abuelos? ¿Todos nuestros muertos? Están ahí enterrados, en ese panteón.

–¿Y quién dice que no son ellos mismos los que nos hacen esto? –exclamó Socorro casi en un grito–. Eso decía la gente.

Su madre la miró como si no la conociera. En su expresión se adivinaba una búsqueda de razones para replicar; sin embargo no encontró ninguna y bajó los ojos hacia el rosario y lo apretó con fuerza entre ambas manos. Respiró profundamente y luego habló como si dejara escapar las palabras en contra de su voluntad.

–Pon la jarra de café en la lumbre, Epitacio. Nos vamos a ir cuando su padre lo ordene.

–¿Y si no regresa? –preguntó Socorro viendo a su madre directamente a los ojos.

El silencio que siguió a la prcgunta se cargó de tensión. Socorro sostuvo las dos miradas, esperando una respuesta, hasta que las ramas de un árbol cercano papalotearon a causa del viento. Entonces se frotó los brazos para aplacar un escalofrío, mientras su madre reiniciaba la oración interrumpida. Epitacio se sumó a los rezos, y pronto las letanías aumentaron de volumen hasta envolverlos en una sustancia monótona que los aisló completamente del exterior.

Sólo paraban de rezar para humedecer la garganta con un sorbo de café. Las oraciones eran lo único que los apartaba de los horrores de la noche. Al concluir un rosario, de inmediato iniciaban otro sin detenerse a pensar, amodorrados por la falta de descanso, por la angustia a la que habían estado sometidos durante tantas horas. Rezaron hasta bien entrada la mañana, cuando el más pequeño de los niños despertó y exigió su alimento con un llanto impaciente.

Socorro retiró del anafre la jarra de café y puso en su lugar una olla de frijoles. Después echó sobre las brasas un puñado de tortillas. El calor entonces los hizo sudar a todos, y el aire se llenó de un aroma dulce, picante, bochornoso; pero aún nadie se atrevía a abrir la puerta o la ventana. Fue Epitacio el que, mientras se limpiaba la frente con la manga, murmuró un "no lo soporto" y caminó hacia la puerta, abriéndola de un golpe.

Una corriente de aire frío y limpio lo bañó de arriba a abajo, apagó los quinqués, se escurrió por todos los rincones del jacal y, finalmente, al abrir Socorro la ventana, escapó llevándose consigo los humores acumulados entre las cuatro paredes. El sol estaba en alto y su luz les ardió en los ojos acostumbrados a la penumbra.

Epitacio dio dos pasos afuera. El caserío lucía como la tarde anterior. Nada había cambiado. La misma soledad, la misma inmovilidad. Sólo los puercos andaban desbalagados por entre los jacales, devorando las plantas y yerbas que encontraban a su paso: las trancas del corral estaban destrozadas, como si las hubieran partido a hachazos durante la noche. Mientras su hermana y su madre daban de comer a los niños, el muchacho reunió a los animales: no faltaba ni uno.

–¿Y papá? –dijo Socorro al salir. Su voz aún denotaba miedo–. ¿Por qué no ha regresado?

Epitacio extendió la mirada por el horizonte. Escudriñó las faldas de la loma, el cauce del río, la orilla del pequeño bosque de arbustos. No había señales de su padre. Ya iba a buscarlo cuando a lo lejos, detrás del viejo cementerio, reconoció el ladrido de un perro. La madre también lo escuchó y rápidamente salió del jacal silbando y tronando los dedos.

Primero aparecieron dos. Caminaban muy juntos entre las tumbas; daban la impresión de ayudarse para poder avanzar. A cada paso parecía que iban a venirse abajo, como si estuvieran exhaustos. La madre continuó llamándolos, pero en cuanto estuvieron visibles enmudeció: el estado de los animales no podía ser más lamentable: su piel había desaparecido en varios sitios y mostraba la carne viva, como si se las hubieran arrancado a tirones; en el cuerpo lucían heridas profundas, aún sangrantes, que parecían hechas a cuchillo. A uno de ellos le habían cortado parte del hocico junto con varios dientes, y el otro cojeaba a causa de una pata rota. Detrás de ellos llegó el tercero, arrastrándose con las patas delanteras y aullando lastimosamente.

Socorro y Epitacio no podían moverse. Aterrados, los ojos fijos en los perros, no supieron qué hacer. Apenas caminaron cuando vieron que su madre salía disparada rumbo al cementerio, dando gritos para llamar al padre, hasta perderse más allá del conjunto de cruces de madera.

–Algo le pasó a papá –dijo Socorro–. Tengo miedo.

–Yo también tengo miedo –dijo Epitacio, y agregó–: Ve adentro con los niños... Y empieza a empacar.

Reprimiendo el horror que sentía, se acercó a los tres perros que se habían echado a unos pasos de él. Ninguno opuso resistencia cuando Epitacio les acercó la hoz al pescuezo. Los degolló uno por uno, mientras sentía que las lágrimas le desbordaban los párpados. Después buscó una vara larga y, al encontrarla, se ayudó con ella para reunir a los puercos. Antes de que terminara, Socorro ya estaba fuera del jacal con una caja en cada mano, rodeada por los niños. Cuando vieron que sus padres se acercaban por el rumbo del cementerio, comenzaron a andar para encontrarlos.

La mujer iba adelante y conducía de la mano al hombre que caminaba a trompicones, como un niño que apenas aprende a hacerlo. Conforme se acercaron, vieron que su padre tenía el pelo completamente cano. En sus brazos y piernas había grandes manchas rojas. Los desgarrones en la ropa, y las heridas bajo ellos, acusaban mordidas furiosas. Su mano no había soltado el machete, y al caminar arrastraba la punta por el suelo. La hoja estaba muy mellada, llena de sangre y, en algunos sitios, colgaban de ella jirones de pellejo. Epitacio sólo tuvo que ver la mirada perdida de su padre, los cientos de nuevas arrugas que cruzaban su rostro, la boca abierta y babeante, para adivinar que los restos en la hoja del machete pertenecían a los perros.

Socorro empezó a sollozar, reprimiendo un grito histérico. Abrazó a sus hermanos pequeños y les tapó la cara con las manos.

La madre vio a sus hijos, y después fijó en Epitacio una mirada llena de tristeza. Iba a decir algo, pero el muchacho se le adelantó:

–Ya traemos todo, madre.

Ella se quedó un momento pensativa, como si no comprendiera. Luego volteó a ver el caserío abandonado, la loma, el agua; finalmente levantó los ojos al cielo, donde el sol ardía con toda intensidad, y apretó en la suya la mano de su marido.

–Sí –dijo como en un suspiro–. Vámonos antes de que otra vez se haga de noche.

El cristo de San Buenaventura

◆

para Eusebio Ruvalcaba

En el nogalar ya no es posible distinguir nada. Tras el ocaso, sólo las crestas de la sierra y las copas más altas de los árboles recortan sus contornos contra el azul oscuro del cielo. Hay quien diría que se trata del espinazo de un animal imposible: dragón o serpiente reptando entre los montes. Abajo todo es una plasta negra. Y sin embargo sigo junto a la ventana de mi habitación, empeñado en descifrar las sombras, alerta a cualquier movimiento, al menor sonido.

Sé que el viejo Juan Manuel permanece en las inmediaciones de la choza, sin hacer caso del viento frío que llegó con la noche. No puedo eludir su imagen, informe, difusa como la de un espectro: el producto de una pesadilla que se niega a desprenderse de la memoria. Lo adivino a horcajadas sobre ese tronco muerto, igual a un jinete cuya montura se hubiese petrificado de tanta inmovilidad, cabalgando la pendiente de sus recuerdos sin que los susurros hostiles que brotan del laberinto del bosque logren interrumpir su galope.

¿Y los demás? ¿A qué hora piensan venir por él? ¿Aguardarán hasta media noche como aseguró el agente viajero, o acaso esperan que el viejo caiga vencido por el sueño y no pueda meter ni las manos? Porque ésta, y no otra, es la ocasión dispuesta para desatar esa mezcla de pasiones furiosas que late bajo el pellejo de San Buenaventura: el pequeño Martín agoniza. Por eso en la tarde los lugareños andaban más agitados que nunca; ansiosos, con los nervios puntiagudos, como si el aire del invierno actuase en la sierra como un estimulante que les intensificara la ira, el odio que se acumula en las vísceras, ese pavor hacia Juan Manuel que sólo puede reventar en accesos de locura.

Nadie se pone de acuerdo. Simplemente lo saben, todos ellos. Yo lo presentí desde principios de mes, cuando Martín cayó enfermo y comenzó a faltar a clases. En primera instancia creí que se trataba de un resfriado a causa de las bajas temperaturas, pero en cuestión de días el niño empeoró. Estos pueblos trepados en las montañas no cuentan con centros de salud, ni siquiera con un médico de servicio social, y por sus compañeros me enteré de que una mujer, partera de oficio y conocedora de yerbas medicinales, lo había estado tratando en su casa durante la última semana. Mas ni los rezos ni las curaciones pudieron someter el padecimiento.

–¿Y no se lo pueden llevar a Linares al hospital? –dije a mis alumnos–. O por lo menos a Iturbide para que lo vea un doctor.

–No, profe, eso no sirve –me contestó una de las niñas–. Los doctores no lo pueden curar.

–¿Por qué dices eso?

–Porque a Martín lo enfermó el brujo, el hijo del diablo.

–No es posible que todavía crean en esas cosas –dije con disgusto–. Ese niño lo que tiene es neumonía.

–¡No es cierto! –la niña fue tajante–: Dice mi papá que a Martín ya lo escogió el brujo, y que no lo va a soltar si no se lo arrebatan.

El brujo al que se refería mi alumna es Juan Manuel, el anciano a quien ahora intento distinguir entre las sombras apretadas de los nogales. Un ser deforme, casi se podría decir monstruoso; un espantajo cuyas anomalías son lo mismo físicas que espirituales. Atrapó mi atención desde la primera vez que lo vi, el día de mi llegada al pueblo. Nunca pensé que también acabaría con mi tranquilidad.

Fue poco después de que don Rodrigo me mostrara mi habitación en la casa de huéspedes.

–¿Viene a ocuparse de los chamacos por mucho tiempo?

–Sólo por este año –contesté–: nueve meses, mientras designan a un maestro permanente.

–De ésos, permanentes, no tenemos hace mucho –su mirada se tornó pensativa, un tanto triste, y enseguida añadió–: Pero está bien, ustedes los jóvenes no deben desperdiciar su vida en un pueblo como éste.

–¿No le agrada el pueblo?

–No es eso, no. No me haga caso. En fin, ya lo irá conociendo... ¿Le gusta la pesca?

–Algo. Sólo de vez en cuando.

–Pos cuando quiera vamos a la laguna por una macolla de robalos. Es un poco más arriba, detrasito de los picachos. Una maravilla de la naturaleza, mi amigo. En cuanto tenga tiempo, avíseme. Yo mismo lo llevo.

–Gracias.

–Bueno, lo dejo descansar. Va a estar a gusto aquí. Es la mejor pieza, cómoda, con una vista hermosísima –y sin decir más, señaló la ventana y salió.

Vacié mi única maleta y agarré la novela que había estado leyendo antes del viaje y me acomodé en el escritorio junto a la ventana. Pensaba aprovechar la tarde para retomar el hilo de la trama, pero en cuanto abrí las cortinas la visión del paisaje me absorbió de tal manera que ni siquiera atiné a buscar la página donde había dejado la lectura.

Aunque han transcurrido varios meses, aún me lleno de vibraciones cada vez que durante el día me asomo a ese valle donde los lugareños dejan pastar sus rebaños de cabras. En el centro hay una extensa hondonada perfectamente cubierta de yerba: una alfombra color esmeralda con ribetes pajizos, a la que rodean varias lomas pobladas de nogales. El arroyo desciende por enmedio de las montañas, recorre despacio la falda de las lomas, mientras en su ruta lo escoltan dos hileras de arbustos crecidos a los flancos. Luego se pierde entre las casas, multiplicándose en las acequias. Aquí y allá, hundidas en el suelo como mojones milenarios, se distribuyen unas enormes piedras blancas que dan la impresión de haber sido puestas ahí a modo de signos, acaso de un lenguaje secreto. Y en el extremo del cuadro, en una loma baja y casi plana, la más distante de mi punto de observación, se divisa entre el nogalar un estrecho claro donde se levanta una cabaña construida con troncos no muy rectos y techo de lámina.

Aún con el libro cerrado entre las manos, me incorporé con

la intención de ir a la cabaña. Me guiaba una necesidad de integrarme al paisaje, de olvidar la urbe ruidosa de la que venía y formar parte de esa belleza natural extendida bajo mi ventana. La pequeña choza, seguramente una antigua barraca de pastores, tenía que ser un sitio tranquilo, silencioso, ideal para mis lecturas vespertinas. Antes de abandonar la habitación eché una última mirada hacia afuera: entonces descubrí al viejo.

A esa distancia no parecía distinto a los campesinos que encontré camino al pueblo. Si no lo vi al principio fue porque su quietud lo asimilaba a los troncos de los árboles, a las piedras diseminadas en el suelo. Pero ahí estaba: sentado sobre un cedro caído, con los pies desnudos flotando en el aire, miraba alternativamente el lugar donde el arroyo hiende las montañas y las palmas de sus manos, abiertas y muy juntas a la altura del pecho. Era como si esperara que el agua llegara hasta él y pudiera contenerla entre sus dedos. O como si elevara una oración a la naturaleza. Su presencia detuvo en mí el impulso de ir a la barraca y me dejó pensativo, inquieto ante una actitud tan singular. A la hora de la cena lo comenté con el dueño de la casa.

–Ah, el viejo ése –hizo un gesto de molestia–. Se llama Juan Manuel. Es el idiota del pueblo. No tiene por qué preocuparse, es inofensivo.

Al día siguiente desperté con la seguridad de que lo encontraría en el mismo sitio, pero al levantarme y mirar por la ventana el paisaje me recibió solitario. Supuse que se había internado en el bosque. Acaso se encontraba dormido en la cabaña, o andaría haciendo cualquiera de las cosas que acostumbran a hacer los locos en el campo. Pronto dejé de pensar en él y me dediqué a repasar mis notas para el primer día de clases.

Por la tarde fui a comprar cigarros al estanquillo. San Buenaventura desplegaba su colorido en un aire cuya transparencia sólo puede hallarse en las montañas. El bosque liberaba un alución de olores vegetales y perfumes paganos. Con el cuerpo pleno de sensaciones recién descubiertas, me senté a fumar en una de las bancas de la plaza. Iba en el tercer cigarro, interesado en una contienda de futbol entre una docena de chamacos que seguramente serían mis alumnos, cuando una renqueante figura dio vuelta en la esquina. Era Juan Manuel.

Verlo de cerca y compadecerlo es la misma cosa: no sólo camina con dificultad, lo hace dolorosamente, presa de un martirio conmovedor, como si tuviera una rodilla rota o alguien le hubiese cercenado el talón de Aquiles; y sin embargo las plantas de sus pies, insensibles, pisan piedras y espinas igual que si el terreno fuera liso. Uno de sus brazos, muy torcido, traza un amplio círculo a cada paso, balanceándose en busca de equilibrio para ese cuerpo tan asimétrico. La cabeza sumida en el pecho, se sacude constantemente para esquivar un insecto imaginario. Su rostro es una mueca de sufrimiento: la nariz chata abre demasiado los orificios, la boca chimuela deja escapar siempre un hilillo de saliva por cada una de las comisuras. Y es tuerto: debajo del párpado izquierdo sólo tiene carne tumefacta y un brote de legañas semejante al musgo que crece en algunos árboles y que por aquí llaman paixtle.

¿Pero dónde ha andado este hombre?, me pregunté. En ese momento pensé que había sobrevivido al ataque de un animal salvaje de los que todavía abundan por la sierra, quizás un oso, o un puma tal vez. Lo seguí con la vista mientras su cuerpo subía y bajaba a causa de la cojera igual que un pistón.

Había tomado la calle junto a la plaza, y un lugareño de mediana edad iba en dirección contraria a la suya. Apenas estuvieron a punto de cruzarse, los niños suspendieron el juego para contemplar la escena: al ver al otro, Juan Manuel encogió el cuerpo, arrugando el rostro en un visaje de miedo que se me antojó falso, ridículo, como el acto de una representación ensayada. Cuál no sería mi sorpresa cuando el otro escupió un sonoro gargajo que fue a reventar en el cuello del viejo. Enseguida le dio un empujón. Juan Manuel se tambaleó un par de metros, y habría caído al suelo de no ser porque en el último instante pudo sostenerse de una banca.

Sucedió tan rápido que no tuve tiempo de reaccionar. Para el momento en que me puse de pie ya el agresor seguía su camino como si nada hubiera pasado. Y la conducta del anciano aumentó mi turbación: con la cabeza aún más gacha, bajó la mirada de su único ojo aceptando humildemente el castigo, y de inmediato reanudó su lastimosa marcha con la baba del otro escurriéndole por la camisa.

Me dejé caer sobre la banca, confundido, sin saber qué actitud me correspondía como maestro, recordando que en estos pueblos a los locos se les considera una maldición y por eso todos sienten el deber de maltratarlos. Sin embargo, cuando Juan Manuel cruzaba la plaza por la parte en que jugaban los niños, mi desconcierto se desvaneció para dar paso a la indignación pura: el mayor de la pandilla, un muchacho de unos doce años, pateó violentamente la pelota estrellándola de lleno en el pecho del anciano. Antes de que el eco del balonazo se extinguiera, Juan Manuel ya había caído de espaldas sobre el empedrado.

Parecía una tortuga bocarriba acosada por una turba de cachorros. Le arrojaban piedras, terrones, ramas, latas vacías, lo que estuviera a su alcance. Uno de ellos recuperó el balón, lo pateó y golpeó de nuevo a Juan Manuel. Los demás no dejaban de insultarlo:

–¡Pinche loco!

–¡Asesino de niños!

–¡Hijo del diablo!

–¡Ya muérete, maldito brujo!

Corrí hacia el tumulto y comencé a apartarlos. Envuelto en la refriega, recibí también algunos golpes que cargaban más furia que fuerza. Sólo me llevé un susto al ver que uno de los niños se acercaba al viejo portando en la mano un trozo de tabique del tamaño de un libro mediano. Me atravesé para evitar la pedrada.

–¡Ya, niños! –grité entre temeroso y enfurecido–. ¡Dejen a este hombre! ¿Qué no les han enseñado a respetar a los ancianos? ¡Retírense ya!

–¿Y usté quién es? –preguntó uno desafiante.

–¡Soy su nuevo maestro!

Esto los amedrentó. Les cayó en los ojos la curiosidad, quizás el respeto, y se fueron retirando despacio hasta el otro extremo de la plaza.

Me acerqué al viejo, quien tenía una expresión de desconfianza en el rostro. No entendía cuáles eran mis intenciones. Extendí una mano hacia él y volvió a sumir la cabeza al tiempo que alzaba el brazo en un intento por cubrirse. Lo tomé firmemente del codo y lo impulsé hacia arriba, mas su peso no coincidía con lo enteleriido de su figura. Con un poco de esfuerzo pude al fin ponerlo de pie, y entonces me topé con su único ojo, muy abierto, fijo en mí: había en esa mirada una mezcla de miedo y gratitud. El anciano jadeaba. Entre sus labios cenizos aparecía de tanto en tanto una lengua blancuzca, semejante a la carne a medio cocer. Lo conduje hasta una banca cerca de la calle, donde un enorme fresno desparramaba su sombra generosamente.

–Espéreme aquí –le dije–. Voy a traerle un poco de agua.

La pupila de su ojo se dilató humedecida, y vi que sus labios se abrían temblorosos, como si fuera a decir algo, pero sólo emitió un gemido débil que me siguió hasta la puerta del estanquillo. Compré una botella de agua mineral, y al salir me encontré con los rostros de los chamacos. De nuevo habían suspendido el juego, ahora para mirarme con burla: el viejo Juan Manuel no estaba donde lo había dejado, ni en la plaza, ni en ninguna de las calles que convergen en la esquina.

Para no hacer más grande el ridículo frente a los niños, me bebí a grandes tragos el agua mineral. Eructé y regresé al estanquillo a entregar el envase.

–Oiga –le dije al tendero–, ¿por qué los chamacos molestan al anciano ése?

–Achis –respondió extrañado–. ¿Pos a cuál dice?

–A un anciano tuerto que casi ni puede caminar.

–Ah, a ése. No haga caso. Ese viejo está loco.

–Pero es un hombre indefenso. ¿Por qué lo tratan así?

–Pos es que así son las cosas en este pueblo. Además él ya está acostumbrado. Mejor no se meta…

Arrastradas por el viento, las nubes se arraciman sobre las montañas en capas bajas y densas, opacando las estrellas y desdibujando el contorno de las cumbres. Afuera la plasta negra se extiende a lo alto y a lo ancho, como si un telón de fondo ocupara el escenario de la ventana. No se ve nada. Tampoco hay otro ruido que el intermitente ulular de una lechuza en el corazón del bosque. Me siento ciego, casi sordo, y la tensión se torna más que evidente, palpable: las sombras, permeadas de mi miedo, del odio que flota en la atmósfera, se han endurecido hasta convertirse en esta resistencia que entorpece los movimientos.

No tardé mucho en darme cuenta: San Buenaventura es un pueblo enfermo. Y la naturaleza que lo rodea parece víctima del mismo mal. Por eso montañas y árboles buscan cobijo tras la cortina negra. Por eso la luz de los astros huye. Por eso ese ocaso, que ya no es sino un recuerdo: más que ponerse, la bola de fuego del sol se desplomó sobre los riscos de la sierra: sus entrañas estallaron para enseguida vaciarse montañas abajo, salpicando las nubes y desparramando su sangre por los aires hasta manchar el cielo de púrpura. Nunca antes vi algo así. Después, la oscuridad: noche sin luna. Sombras que borran todo rastro de belleza en el paisaje. Ahí están los pinos, los nogales, los cedros, los arbustos. Ahí siguen también los picachos, las cornisas, el arroyo, la hondonada. Y las enormes peñas blancas esparcidas artísticamente. Pero ahora son motivos invisibles, inapreciables, inútiles en fin, sólo porque el sol murió desangrado y las estrellas se esconden detrás de las nubes.

Con los hombres sucede igual. Juan Manuel y los lugareños son una prueba: cuando nos quitan la luz nuestra vista es ciega, la voz se empantana en la garganta, el cuerpo se torna lento y torpe: pasamos del paraíso al infierno sin que haya cambio alguno en los elementos que nos conforman. Si no, ¿cómo explicar el odio y el miedo? ¿Cuáles son los mecanismos, los resortes que los hacen desembocar en ira desenfrenada? ¿Cómo nace esta enfermedad y cuál es su cura? ¿Qué impulsa a un grupo de niños a atacar con saña a un anciano maltrecho?

Durante la primera semana de clases conocí a varios miembros de la comunidad, padres de familia que acudían conmigo para preguntar acerca de los avances de sus hijos en la escuela. Al cuestionarlos sobre las razones que los chiquillos tuvieron para agredir al anciano, la mayoría evadió el tema. Otros restaron importancia al asunto, alegando las disculpas de siempre: "cosas de chamacos", "travesuras, no se fije usted". Sólo una mujer me respondió claramente, con los ojos ennegrecidos por la ira:

–Es un brujo, adorador del diablo. Su sola presencia en el pueblo es una ofensa contra Dios y contra todos nosotros.

No fue lo que dijo, sino la expresión que desfiguró sus rasgos en una careta donde se adivinaba un fanatismo antiguo y peligroso. Fue el tono: aquellas palabras encerraban la crueldad de una sentencia irrevocable, oculta para quienes no formamos parte de la secta en que se ha convertido San Buenaventura. Comprendí que ninguno de los habitantes del pueblo me daría información de manera voluntaria. Si deseaba saber más, debía utilizar mi ingenio, atrapar comentarios tangenciales, insistir, atar cabos, quizá vigilar al mismo Juan Manuel.

Pero así como había desaparecido el día en que traté de ayudarlo, el viejo no se dejó ver en las semanas siguientes. Inútil fue asomarme al nogalar todas las mañanas al levantarme, o por las tardes al volver de la escuela. Esperaba encontrar su figura sentada en el tronco caído, o renqueando cerca de la cabaña, mas ante mi vista tan sólo aparecía el valle.

Durante las comidas en la casa de huéspedes, casi siempre en compañía de don Rodrigo y de cuando en cuando de algún visitante, varias veces llevé la conversación al tema del viejo, pero mi anfitrión adoptaba de inmediato un aire de disgusto que ponía fin a la charla. Juan Manuel no aparecía por ningún lado. Nadie hablaba de él en mi presencia. Acaso estuve a punto de olvidarlo. La somnolencia de San Buenaventura me iba absorbiendo, y mi vida se deslizaba en una rutina tranquila que se repartía entre las clases, la lectura y los paseos cortos por los alrededores.

Un agente viajero fue quien se encargó de resucitar en mí el interés por el viejo Juan Manuel. De nombre Sebastián, era un tipo gordo, expansivo, dueño de una plática ruidosa e incesante. En menos de una hora nos puso al tanto de los chismes, amoríos, tragedias y cualquier cosa digna de contar sucedida en las comunidades de la sierra. Cuando, tras levantar la mesa, don Rodrigo nos dejó solos para meterse en la cocina, Sebastián cambió de tono a uno casi confidencial:

–Tengo veinte años de viajar por estos pueblos y aún no puedo acostumbrarme al camino –dijo–. Es un viaje de todos los diablos. ¿No lo cree, profesor?

–Bueno, yo sólo lo he recorrido una vez –contesté–. Y la segunda será cuando me vaya.

–¿Usted es de Monterrey, verdad? Entiendo que no le guste mucho San Buena, es tan aburrido –y enseguida agregó frunciendo el ceño–: aunque a veces se pone demasiado agitado, demasiado violento…

–¿Qué quiere decir?

Tardó algunos segundos en responder. Pensativo, como si considerara la conveniencia de informarme lo que pensaba, me estudió detenidamente con la mirada. Luego hizo un gesto de resignación y se inclinó un poco hacia mí para no tener que hablar en voz alta:

–A don Rodrigo no le gusta que esto se comente. Ni a nadie del pueblo. Pero… la gente es medio sádica aquí. De repente les da por ajusticiar ancianos. ¿No le ha tocado todavía?

Ni la mención al ajusticiamiento, que en primera instancia consideré un embuste, me inquietó más que la pregunta: "¿No le ha tocado todavía?" Lo dijo como si se refiriera a un espectáculo, la visita periódica a San Buenaventura de un grupo musical o de un circo trashumante. Sebastián lo había visto, había sido testigo de esa locura que súbitamente se apodera de los lugareños, y estaba seguro de que, por vivir aquí, tarde o temprano yo también sería un espectador.

Sus palabras me provocaron la reacción que él esperaba: me sentí escandalizado y al mismo tiempo presa del morbo, ansioso por saber más. Sonrió con aire de triunfo, encendió un cigarro, se acomodó en la silla y comenzó a contarme la historia oculta de San Buenaventura con voz pausada, queda, un tanto teatral.

Había presenciado los hechos en dos ocasiones: la primera quince años atrás y la última hace solamente tres. De acuerdo a su relato, todo se lleva a cabo como un ritual de procedimiento fijo, como obedeciendo a una tradición: alrededor de la media noche, los habitantes de San Buenaventura abandonan sus hogares y caminan en silencio hacia la plaza. Son en su mayoría hombres, aunque las mujeres parecen dirigirlo todo. Cuando consideran que se han reunido suficientes personas, comienzan a encender antorchas, mientras se animan unos a otros lanzando insultos y amenazas en contra de la víctima. Sebastián nunca supo, pues no estuvo presente sino hasta los momentos finales, si el ajusticiado se encuentra en poder de la multitud desde que están en la plaza, o lo capturan camino a la hondonada, donde tiene lugar el escarmiento. Muchos hombres van armados con garrotes, mangos de hacha, piedras. Todavía en la plaza, las arengas suben de tono, como en los instantes previos a una batalla: los hombres vociferan y levantan antorchas y puños; las mujeres se jalan los cabellos para gritar más fuerte. Cuando la ira se ha extendido a todos los pechos, la multitud enfila hacia las afueras del pueblo, semejante a un enorme gusano, chispeante a causa de las teas, llenando la noche con su gritería.

El agente viajero dormía en su cuarto de la casa de huéspedes cuando fue despertado por el ruido. Primero creyó que ocurría alguna catástrofe, acaso un incendio, y corrió a la ventana donde sólo se veía el paisaje nocturno. Sin embargo, el viento arrastraba los gritos de la turba desde la calle, al otro lado del edificio. Se vistió y bajó corriendo las escaleras. En la puerta, don Rodrigo intentó convencerlo de que volviera a su cuarto: "No vaya. Son asuntos del pueblo. No se meta en esto". Pero Sebastián no hizo caso y casi tumbó a don Rodrigo en su prisa por salir, pues ya la gente había rodeado la casa de huéspedes en su marcha hacia el valle.

En las afueras la multitud se amontonaba en círculos, y tuvo que abrirse paso a empujones y codazos para alcanzar el centro. Entonces vio al ajusticiado, bocabajo sobre el suelo, retorciéndose como animal moribundo. La luz de las antorchas ennegrecía la sangre que brotaba de sus heridas. No parecía tener fuerzas para defenderse. Ni siquiera trataba de esquivar los garrotazos que algunos hombres seguían dándole, ignorando sus gemidos de dolor, sus súplicas entre balbuceos que derivaban en un llanto mudo. Pronto quedó inmóvil, como muerto, pero todavía una de las mujeres se acercó a él armada con un peñasco, lo agarró de los cabellos y le levantó la cara para reventársela con un golpe que le bañó el vestido de sangre.

–¿Y usted qué hizo?

–Nada. ¿Qué podía hacer yo? –contestó fingiendo indiferencia–. Son asuntos del pueblo, como bien me había advertido don Rodrigo, y los fuereños no debemos meternos.

Satisfecha la ira, empezaron a dispersarse dejando el cuerpo inerte enmedio de la hondonada. Pero aún vivía. Sebastián lo supo porque, antes de retirarse, un hombre le arrimó la antorcha a la altura de las corvas con la intención de desjarretarlo. La piel crepitó al contacto con el fuego y, aunque no emitió ni un grito, la víctima se convulsionó igual que si hubiera recibido una descarga eléctrica.

–Así fue la primera vez, hace quince años –Sebastián encendió otro cigarro–. El hombre no era tan viejo, me pareció que apenas rayaba los sesenta. Pero hace tres años sucedió exactamente lo mismo, bueno, con algunas variantes, y en esa ocasión la víctima era un verdadero carcamán, que además ya estaba muy jodido de por sí: con la pata bandola y le faltaba un ojo.

No dijo más porque don Rodrigo volvió de la cocina trayéndonos una jarra de café y una botella de mezcal. Yo me disculpé, argumentando que debía repasar mis notas de la escuela, y subí a mi habitación bastante confundido. No era posible que ocurrieran esas cosas en un pueblo como San Buenaventura, en apariencia tan pacífico. Sebastián tenía que haberlo inventado, se notaba que le gustaba impresionar a sus oyentes, ya fuera con chismes o con historias ficticias.

Me metí en la cama dispuesto a olvidar el relato, convencido de que era ficción pura, un retorcido engendro de la fantasía del agente viajero. Cerré los ojos y me sumergí en un sopor donde se amalgamaban recuerdos recientes y fragmentos de sueños. Estaba a punto de perder por completo la conciencia, cuando la certeza de que el gordo no mentía me sacudió por dentro, obligándome a repensar los sucesos ocurridos en el pueblo. De alguna manera la versión de Sebastián concordaba con lo que yo había visto: el ataque de los niños en contra del viejo, la actitud de padres y madres, las evasivas de don Rodrigo y el tendero. Coincidía, igualmente, con la víctima.

Sebastián no lo advirtió a causa de los doce años transcurridos entre un ajuste de cuentas y otro; pero en las dos ocasiones la turba había descargado su furia en la misma persona. Los defectos físicos que señaló en el segundo hombre eran los de Juan Manuel, seguramente secuelas de la primera golpiza. ¿Pero había sido en realidad la primera? ¿O hubo otras? Sebastián dijo: "Les da por ajusticiar ancianos", lo cual significaba que lo hacían con regularidad. Y si se trataba de escarmientos, ¿cuál sería el delito del que acusaban al viejo? ¿Un crimen contra el pueblo? ¿Algo que seguía pesando en la memoria de cada uno de los lugareños, doloroso al grado de llevarlos a cometer semejante barbaridad? ¿O todo era culpa del fanatismo que los hacía ver en Juan Manuel a un enviado del demonio, como lo dijo la mujer en la escuela? Cualesquiera que fueran las respuestas, don Rodrigo las sabía. Esa noche decidí concentrarme en obtenerlas.

Con el fin de ganarme la confianza de mi anfitrión, los siguientes días me mostré más interesado que de costumbre en su charla, en sus actividades y preocupaciones. No tenía muchas: don Rodrigo había nacido en San Buenaventura, aunque desde muy joven trabajó en la burocracia de la ciudad. Cada año, en vacaciones, regresaba a la sierra para poder disfrutar unos cuantos días de su más grande placer: la pesca del robalo. Tras jubilarse, viudo y con los hijos dispersos en Monterrey y los Estados Unidos, no dudó ni un momento en abandonar las agitaciones urbanas. Reunió sus ahorros, vendió lo que poseía y vino a establecerse definitivamente en su terruño, donde construyó la casa de huéspedes con la ilusión de atraer a decenas de pescadores a la laguna. Cuando hablaba de los peces, de las aguas profundas y mansas, del aire limpio y el paisaje que se hallaban detrás de los picachos, sus ojos perdían el aburrimiento habitual y brillaban alegremente como si contemplaran el paraíso. No hizo falta mucha agudeza de mi parte para comprender que si le proponía una excursión de pesca, de inmediato obtendría su complicidad.

–Faltaba más, profesor –respondió entusiasmado–. Usted sólo dígame cuándo salimos. ¿El viernes, después de la escuela? ¡Perfecto! Ya tengo listas las mochilas, los riles, los curricanes. ¡Faltaba más!

Se llega a la laguna siguiendo una serie de senderos casi ocultos por la vegetación. Un camino difícil y más o menos peligroso que don Rodrigo recorre como si anduviera por los pasillos de la casa de huéspedes. Menos acostumbrado a la vida silvestre, yo fui a dar al suelo con todo y mochila más de una vez: al resbalar en terreno lodoso, al tropezar con ramas bajas o raíces demasiado altas; o asustado, cuando sorpresivamente surgía algún animal de entre la maleza para enseguida alejarse emitiendo gruñidos.

Acampamos al anochecer. Mientras mi guía recolectaba leña, yo intentaba recuperar fuerzas con una cerveza. Durante la cena la conversación giró en torno a anécdotas de pescadores, a los animales salvajes que sobreviven en la sierra; pero sobre todo don Rodrigo se esforzaba en hacerme valorar las bondades del paisaje a nuestro alrededor. Si quiere apreciarlo como Dios manda, insistía, necesita verlo cuando salga el sol. Sin embargo, incluso en la oscuridad la laguna se advierte tersa, inmóvil, semejante a un cristal recién pulido que refleja en su superficie el parpadeo de las estrellas y el enorme ruedo amarillo de la luna. Aunque los riscos rebasan la altura de donde nos encontrábamos, y aunque los pinos parecen hundir sus copas en el cielo, me sentía en la cima del mundo. Rendido de cansancio, me recosté de cara a las estrellas con la clara sensación de que en cualquier momento descenderían hasta quedar suspendidas junto a nosotros.

El rocío me despertó antes del amanecer. Don Rodrigo había abandonado el campamento y sus cosas estaban dobladas y acomodadas dentro de su mochila. Apenas comenzaba a preguntarme dónde podía estar, cuando lo vi acercarse cargando en una mano la caña y en la otra dos peces grandes.

–Sólo es una probadita, para desayunar –me dijo sonriente–. En cuanto amanezca vamos a sacar pescado para toda la semana. Y hasta para regalar, profesor.

La salida del sol entre las cumbres fue estremecedora. La luz se derramaba sobre el paisaje con una morosidad que parecía calculada para llamar la atención sobre cada uno de los elementos: primero los riscos al otro extremo de la laguna, enseguida los pinos pasaron del negro al verde como en un acto mágico; finalmente, igual que si se descorrieran varios velos, el agua se transformó de gris en esmeralda, y después en un azul tan transparente que los peces eran visibles aun en el fondo de la laguna.

–Como esto se hace en silencio, le sugiero que nos separemos –dijo don Rodrigo–. Le recomiendo aquella parte de las lajas. Es como un muelle: las piedras son cómodas para estar sobre ellas. Además el agua es muy honda, dondequiera que caiga el curricán está cuajada de robalos. No olvide devolver el pescado chico, no tiene caso llevarlo.

En el sitio que indicó el bosque parece desbordarse hasta invadir la laguna, o al revés. Sólo un terreno estrecho cubierto de rocas separa el agua de los pinos. Don Rodrigo tenía razón: bien podría servir de embarcadero, si no fuera porque un poco más allá la laguna se despeña en el arroyo en una cortina débil pero constante, y ese desagüe provoca una ligera corriente. Me dio la impresión de estar cerca de las compuertas de una presa.

Me situé sobre una laja cuadrada y ancha, y empecé a ensayar los primeros tiros viendo cómo el currican se sumergía a unos quince metros de distancia. Me sentía un tanto inquieto por la cercanía del bosque, de cuyo interior brotaban diversos ruidos desconocidos para mí. Mas en cuestión de minutos la serenidad del agua, la repetición del ejercicio y los primeros peces que picaron, lograron que mi mente se situara en un inmenso espacio vacío. Cuando el sol estuvo en su punto más alto volví al campamento, casi sin hablar devoré el pescado a las brasas que preparó don Rodrigo, y enseguida estuve de nuevo sobre la laja, escuchando el suave silbo del ril por encima de mi cabeza.

Por la tarde los ruidos y movimientos en el bosque se volvieron más numerosos, más nítidos, como si los animales anduvieran asustados. Instintivamente me puse en alerta, y logré identificar algo semejante a los pasos de una bestia grande y pesada. Intenté no prestarle atención y concentrarme en la pesca, pero fue inútil: el sonido me llegaba con claridad, aumentado ahora por lo que parecía un jadeo ronco. Sin poder controlar un súbito temblor de piernas, caminé hasta el árbol más próximo con la intención de ocultarme. Desde ahí distinguí una sombra que se desplazaba con dificultad entre los troncos y la maleza. Al principio creí que era un oso, y ese pensamiento entorpeció el flujo de la sangre en mis venas. Estaba a punto de correr hacia el campamento cuando la sombra se irguió y salió a un claro. Entonces vi que remataba su cabeza con un sombrero: era Juan Manuel.

Avanzó hasta la orilla de la laguna sin percatarse de mi presencia. Pisaba sobre las piedras, en constante batalla para conservar el equilibrio. Tras arribar a una de buen tamaño, plana y sólida, se detuvo. Sus ojos se perdieron entonces en las honduras del agua, en tanto volvía a unir las manos con la actitud de feligrés que le había visto antes. Sus labios temblaban y estuve seguro de que murmuraban un rezo. Enseguida se quitó la ropa, dobló con sumo cuidado cada una de las prendas y las acomodó a sus pies bajo el sombrero.

Me desplacé despacio, en perfecto silencio, igual a una de las fieras mencionadas por don Rodrigo y las cuales me habían hecho sentir pánico minutos atrás. Quedé a su espalda, a unos pasos de distancia. Desde esa perspectiva, la laguna, el bosque que la circunda y las cornisas de la sierra integran un paisaje edénico, conmovedor, y sin embargo mis ojos sólo veían a Juan Manuel.

Tenía el cuerpo de un enfermo al borde de la muerte: la piel, en extremo pálida, a duras penas forraba el esqueleto que amenazaba con resquebrajarse. Las que a simple vista parecían manchas de vejez extendidas del cuello a los tobillos, resultaron cicatrices: cortadas, tumefacciones, enormes rosetones donde el pellejo se arrugaba, reluciente y duro como piel sintética. Recordé las antorchas en la narración del agente viajero, y no pude evitar turbarme al imaginar los dolores sufridos por aquel hombre.

Se había sentado en la piedra con los pies dentro del agua. Utilizaba el cuenco del sombrero para mojarse el pecho, los brazos, la cabeza, y luego se talliaba enérgico con la palma de la mano. Presenciar sus abluciones me hizo sentir incómodo, profanador de un acto necesariamente secreto, y ya iniciaba la retirada cuando escuché unas palabras que me sobresaltaron: claras, fuertes. Pertenecían a una voz profunda y de buen timbre:

–¿Va a esperar a que oscurezca para golpearme?

Tardé un poco en aceptar que era la voz del viejo. Nunca lo hubiera creído capaz de hablar, y menos de esa manera. Como seguía dándome la espalda, miré a mi alrededor para asegurarme de que estábamos solos.

–No estoy aquí para golpearlo.

–¿Entonces?

–Quiero ofrecerle mi ayuda, Juan Manuel.

Por toda respuesta emitió un largo resuello. Dejó pasar unos segundos y después dijo con tono de mando:

–Váyase.

No, definitivamente no se trataba de un idiota. Su voz, el modo de pronunciar las palabras, denotaban a un hombre cuerdo. Más que eso: a un hombre educado, culto, con cierta autoridad. Decidí que era mi oportunidad de conocerlo.

–No puede ordenarme que me vaya. La sierra nos pertenece a todos.

–Aquí no. Éste es un lugar sagrado.

No supe a qué se refería, mas me sentí cogido en falta. Quise excusarme:

–Sólo vine de pesca.

–Ya pescó, ahora váyase.

–¿No entiende que deseo ayudarlo? Es necesario detener esos abusos en contra de usted –mi exasperación crecía y añadí–: Soy el maestro de San Buenaventura y puedo interceder ante las autoridades. Usted debe tener familia en alguna parte. Si accede, lo llevo con ella, o a donde esté seguro.

–Todo lo que me pertenecía está aquí. Por mí ya no es posible hacer nada.

Hubo un silencio largo, incómodo. Después, con evidentes dificultades, el viejo se incorporó y tomó las prendas. Sus limitaciones no dejaban de provocarme compasión: sufría hasta para ponerse la camisa. Al fin vestido, se dio la vuelta. Entonces observé que su boca volvía a moverse en ese temblor leve y constante. En ocasiones alzaba la voz y me permitía comprender frases aisladas en las que se refería a una mujer, a unos niños, a un acontecimiento grave, imposible de evitar. Regresó al bosque con andar inseguro, y cuando pasó cerca de mí alcancé a escuchar nítidamente: "Yo también fui maestro del pueblo… no sirve de nada". Enseguida se perdió entre los árboles, susurrando algo acerca de un crimen, de la culpa y del castigo merecido.

No me moví del lugar hasta que el sol bajó junto a las montañas y el bosque se tornó umbrío. Dentro de mí las interrogantes se sucedían una tras otra: quién era ese hombre, cuál sería su historia, por qué los del pueblo lo atacaban, lo tildaban de loco y degenerado. Ya no me lo podían seguir ocultando. Don Rodrigo tendría que darme una explicación. Se la exigiría al llegar al campamento.

Lo hallé entretenido con la fogata. Silbaba contento a causa de su cubeta rebosante de robalos. Lo ayudé a cocinar en silencio, después comimos, y cuando extrajo de su mochila una botella grande de mezcal consideré que había llegado el momento de hablar.

A boca de jarro le narré mi encuentro con Juan Manuel, describiéndole las cicatrices en su cuerpo, repitiendo las palabras que le había oído decir. Luego le reclamé sus evasivas y las de los demás, y con tono iracundo recapitulé el relato del agente viajero sin omitir uno solo de los detalles. Don Rodrigo se mostraba aturdido: nunca esperó encontrar tanta vehemencia en mis cuestionamientos, en mis exigencias. Mientras escuchaba, procuraba esquivar mis ojos dando largos tragos a la botella. Al concluir mi perorata, extendió la mano para pedirme un cigarro, le dio lumbre con un leño e hizo un buche de mezcal antes de responder:

–Por lo visto es inútil seguir callando... –carraspeó como si buscara la manera de continuar–. Reconozco que no es algo para enorgullecerse, por eso prefiero no hablar de ello. Lo que le contó Sebastián es cierto, salvo que él creyó ver a dos hombres distintos y se trataba nomás de Juan Manuel.

Le costó trabajo hablar: tartamudeaba, caía en extensos silencios de los que salía sólo después de enjuagarse las encías con un trago, bajaba la mirada avergonzado, tosía. Pero igual que en tiempos remotos, la noche, el cielo abierto por encima de nuestras cabezas, el crepitar del fuego enmedio de los dos y el alcohol atemperando el ánimo, lograron que la historia tomara forma en voz de don Rodrigo hasta que ambos, narrador y oyente, quedamos atrapados en ella.

Juan Manuel González se apersonó en el pueblo aproximadamente treinta años atrás. Lo acompañaba su mujer, de nombre Apolonia, hembra maciza, grande e inteligente, según los decires de quienes la recuerdan. Venían a hacerse cargo de la escuela, que entonces no era sino un jacalón vacío, con dos décadas de abandono. Impregnados de aquel espíritu apostólico de los primeros educadores, para ellos enseñar, más que un oficio, encarnaba una misión que redimiría de la pobreza y el aislamiento a comunidades como San Buenaventura. Idealistas y emprendedores, en unas semanas se las ingeniaron para acondicionar la escuela, y desde el primer día de clases se dedicaron sin distracciones a sus alumnos. Incluso propusieron actividades fuera del horario escolar, tratando de involucrar a los adultos en la formación de sus hijos.

La gente reaccionó. San Buenaventura no tenía costumbre de tanto cambio, de tanto alboroto. Cundió la mala sangre y aparecieron las dificultades: primero algunos recelosos se opusieron a que los chamacos estuviesen bajo la tutela de la pareja más tiempo del necesario para saber leer y escribir, sumar y restar. Es lo que hace falta, decían. Además, por las tardes los escuincles debían ayudar en casa, o en el pastoreo de los rebaños. Luego se regó un rumor: aseguraban que los maestros traían ideas raras, que sus lecciones convertirían a la chiquillada en una runfla de comunistas, ateos, sin ningún respeto por las tradiciones y sin obediencia para con los mayores. Y los crédulos prohibieron a sus hijos asistir a la escuela.

La resistencia, sin embargo, no fue abierta, sino ambigua: los alumnos faltaban varias veces, y algunos llegaba el momento en que ya no volvían. Nunca se supo quién sembró los rumores. En San Buenaventura no hay sacerdotes, sólo uno visita la capilla cada dos o tres meses en su itinerancia por la sierra, así que la autoridad moral es ejercida por los ancianos. Más bien por las viejas, pues al oficiar de curanderas y parteras tienen potestad sobre la alegría y el dolor de los demás. Ellas presiden nacimientos y defunciones, por eso el pueblo las respeta y obedece. No se metían, no decían palabra, pero seguro no apreciaban a los maestros.

–Otras épocas eran, aunque como usted ya se ha dado cuenta, San Buena no cambia. Estos territorios aún son algo paganos, bárbaros pues, sin ley, sin religión, sin cultura... –don Rodrigo aspiró una bocanada de aire y prosiguió–: En aquellos años vivía yo en Monterrey. Supe los pormenores por boca de mi hermana. Ella conservaba a los dos mayorcitos en la escuela. Pero la presión de los chismes la hacía dudar en si permitirles seguir estudiando. Yo la convencí. Más vale educarlos, le dije, sean quienes sean los profesores. Y es fecha que no dejo de arrepentirme.

A causa de las deserciones, la escuela quedó reducida a quince alumnos. Juan Manuel y Apolonia se concentraron en ellos y los niños avanzaban rápido. En cuestión de meses aprendieron a leer de corrido, a escribir con buena ortografía, a sacar cuentas en un santiamén. También se iniciaron en los rudimentos de ciertos oficios: técnicas de siembra y cosecha, carpintería, albañilería, los niños; conservas, costura, cocina, las niñas. Los padres que antes apartaron a sus hijos de las clases empezaron a pensárselo mejor, y probablemente los habrían vuelto a inscribir si no se hubiera atravesado la excursión.

A pesar de no contar con experiencia, pues ninguno de los dos había vivido cerca del agua, la pareja se empeñó en enseñar a los chamacos la pesca en grande. Tomaron de uno de sus libros las instrucciones, y durante un par de semanas ocuparon sus ratos francos en tejer una malla de tamaño mediano, liviana, manejable. Luego fueron convenciendo a padres y madres, uno por uno, de que dejaran ir a sus hijos a la laguna. Para esas fechas se habían ganado la confianza de medio pueblo, y sólo a tres chiquillos les negaron el permiso por miedo a un accidente. Apolonia y Juan Manuel tomaron a los doce restantes, los instruyeron en el aula sobre los pormenores de la pesca con red y prepararon los detalles de la excursión.

En la laguna había entonces una canoa muy antigua y muy grande que los pescadores utilizaban para ir a los sitios hondos. Un tanto carcomida del maderamen, lucía frágil, pero bien podía soportar a una docena de adultos. Se desconocía quién la había construido. Decían que era obra de los indios que habitaron hace siglos la sierra. Lo único cierto es que flotaba en el agua desde tiempos de los abuelos, quizá desde mucho antes.

–Mi padre nos llevaba a pescar en ella –los ojos de don Rodrigo, a la luz del fuego, se tiñeron de nostalgia–. Ahí atrapé mi primer robalo. Ahí pasé los mejores momentos de mi infancia. Hasta de mi adolescencia. Puedo imaginar fácilmente la emoción de aquellos chamacos: vivían la aventura de su vida.

Muchos de los niños ni siquiera conocían el lugar. Durante el camino, los maestros debieron pasar serios trabajos para mantener al grupo junto, en orden, disciplinado. Al llegar improvisaron un campamento cerca de donde se hallaba la canoa, depositaron en él víveres, ropa, mantas y una tienda de campaña rudimentaria. Enseguida, llenos de entusiasmo, montaron en la embarcación. Remaron en busca de una parte profunda y desplegaron la red.

–Yo soy quien más ocasiones ha subido hasta acá, nadie del pueblo viene tan seguido, y después de tantos años todavía no me explico lo que sucedió –don Rodrigo se empinó la botella mientras contemplaba la lejanía. Tal vez intentaba reconstruir la escena con la imaginación para encontrar una respuesta–. Aquí nunca hubo crecidas ni inundaciones, ni las habrá. Ni aun en esas temporadas en que la lluvia parece eterna. Hay corrientes subterráneas, eso sí, mas nunca violentas. El arroyo hace las veces de desagüe permanente. Y no obstante la canoa se partió en pedazos.

Nadie estuvo para atestiguar la tragedia. Sin embargo, en el pueblo corrieron muchas versiones que el tiempo sintetizó en una sola: se dice que algo arrastró la embarcación con rapidez hacia las rocas y la canoa se quebró como si fuera de cristal, que ninguno de los niños sabía nadar. Solamente Juan Manuel se salvó. Apolonia y los chamacos se hundieron hasta el fondo y la corriente los empujó al despeñadero. Encontraron a varios de ellos en el arroyo, muchos metros abajo de la laguna, entre las piedras, varados en la arena o flotando donde el cauce es ralo.

–En San Buena se dieron cuenta del accidente muy pronto –don Rodrigo me pidió un cigarro y clavó la mirada en mí–. El agua jaló a la acequia trozos de canoa, zapatos, una camisita. Ya se imaginará la impresión de las personas. De mi hermana: mis sobrinos fueron de los que se desbarrancaron.

–¿Y Juan Manuel? –pregunté tímido, en un murmullo.

–Juan Manuel, sí... –en su rostro se estampó una sombra de ira–. Al llegar la gente arriba, lloraba de rodillas sobre una laja con las manos dentro del agua. No se había movido. Ahí, justo donde usted lo vio en la tarde. No podía dar razones. No respondía a las preguntas. Nomás clamaba por los niños y por su mujer.

En andas lo llevaron a la orilla. Los que sabían nadar se arrojaron al agua. El rescate de los cadáveres duró hasta bien entrada la noche. Dicen los que estuvieron ahí que Juan Manuel comenzó a descomponerse: se retorcía, echaba espuma, lanzaba maldiciones. Los hombres construyeron camillas a fin de transportar los cuerpos al pueblo. Treparon a Juan Manuel a una y lo amarraron, pues no cesaba de manotear y sacudirse. Luego se dio cuenta de que no habían sacado a su mujer y empeoró: se deshacía en alaridos. Durante el camino dio mucha guerra: lloraba, maldecía a la laguna, blasfemaba en contra de Dios. De pronto se quedaba quieto y entre murmullos pedía que salvaran a Apolonia. Daba lástima.

Ya en San Buenaventura decidieron conducirlo a la casa de una de las curanderas. En silencio, transida de dolor y desesperación, la multitud iba tras él con los cuerpos de los chamacos en hombros. Acaso lo seguían porque ignoraban hacia dónde dirigirse. Lo pusieron en el suelo, y enseguida bajaron también los cadáveres de los pequeños para que la vieja rezara una plegaria. Pero en cuanto soltaron las ligaduras de Juan Manuel, otra vez a retorcerse, a blasfemar. Entonces la vieja sentenció: éste está poseído por el diablo. Esas palabras prendieron lumbre en los dentros de cada uno de quienes las oyeron. Esas palabras marcaron el destino del maestro. Otra de las viejas les hizo notar a los demás que la pareja no tuvo hijos, que por algo sería. De inmediato el miedo se desparramó entre la gente. En segundos se convirtió en furia. Uno de los hombres quiso desquitar su dolor y calló las blasfemias de Juan Manuel de una bofetada. Ahí arrancó el suplicio: un puntapié, una maldición, un trancazo, una piedra que surge de las sombras. Aun en su locura, el maestro sacó arrestos para incorporarse y echó a correr. La gente abandonó los cadáveres de sus hijos y lo persiguió, cazándolo como a un perro del mal. Por las calles de San Buenaventura se escucharon por vez primera los gritos de asesino, endemoniado, satánico y esos otros insultos que todavía carga en la espalda. Le dieron alcance en las afueras, ahí en la hondonada, y lo golpearon hasta medio matarlo.

–No pude venir al entierro. Dicen que el pueblo se veía tristísimo cuando pasaron los ataúdes blancos y chiquitos. Me refirieron la historia completa meses más tarde, en mi siguiente visita. San Buena estaba de luto aún. Usted no puede imaginarse cómo luce un pueblo al que le han matado tantos niños... En esa ocasión me encontré con Juan Manuel cerca del nogalar. Apenas se reponía de sus heridas, mas no me importó: ahí mismo lo tundí hasta cansarme, hasta otra vez dejarlo moribundo. Se lo merecía. Él fue el culpable de la desgracia de mis sobrinos –don Rodrigo bajó la mirada–. Ahora tengo escrúpulos. Ese día no. Ese día también yo lo consideré un asesino, un endemoniado.

Por unos minutos nuestro silencio permitió el arribo de los susurros del bosque, de los chapoteos del agua en la orilla. El fuego crepitaba, rítmico y tenaz, y sus chispas salían expulsadas hacia la oscuridad como luciérnagas enloquecidas. Don Rodrigo bebió otro trago de mezcal y se recostó sobre su manta. Había dado fin a su relato. Pregunté:

–¿Y el cuerpo de Apolonia?

–Nunca lo hallaron. Se atoraría en las piedras del fondo, creo yo, y después los peces se lo habrán comido.

–Por eso Juan Manuel no se fue de San Buenaventura...

–Quién sabe. Quedó loco de tanta madriza. Ya lo ve usted: se dedica a vagar por el bosque, por los alrededores del pueblo, o sube aquí para llorar a la mujer. Luego se desaparece meses.

–¿Por qué lo siguen martirizando?

–La gente cree que tiene pacto con el diablo. Dicen que ésa es la causa de que no haya estirado la pata a pesar de los ajusticiamientos. También creen que los chamacos son su ofrenda al maligno. Si un chiquillo se enferma de gravedad se lo achacan a él. Según ellos, cuando los agarra hay que quitárselos a golpes. A veces el niño se salva, a veces no.

–¿Usted cree eso?

–Yo no creo nada –don Rodrigo me dio la espalda.

El compás de su respiración me indicó que se había dormido. Yo permanecí despierto mucho rato, absorto en el constante crepitar de las chispas, en las lenguas de fuego que se elevaban y descendían en una danza alucinante. Veía las llamas y pensaba en el infierno del viejo Juan Manuel. Lo imaginaba deambulando en el bosque, aullando como un lobo viudo su dolor por esa mujer que descansa en el fondo de la laguna.

Cuando apoyé la espalda sobre las cobijas, miles de estrellas se me vinieron encima. Una ráfaga de viento gimió a lo lejos entre los árboles y detonó un tableteo semejante al de cientos de pájaros levantando el vuelo. Entonces comprendí todo el peso del drama del anciano, el odio incurable de la gente del pueblo, la culpa, su expiación voluntaria. Y cerré los ojos para no pensar más.

Escucho los pasos aún indecisos rumbo a la plaza, el tallar tímido de los huaraches contra las piedras, los taconeos carentes de firmeza. Rumores apenas similares al de una brisa aislada entre los arbustos. Cualquier otro podría confundirlos con los sonidos propios de un pueblo incrustado en la serranía. Yo no: los aguardaba como todas las noches desde que el deceso del pequeño Martín es inminente. Tampoco Juan Manuel. Lo imagino errante por los alrededores de la choza; la vista hundida en el cielo, identificando los rasgos de su mujer en los destellos de la luna. Las nubes han empezado a disgregarse y un fulgor mustio se abre paso hasta las copas de los árboles otorgándoles un tinte áureo, aunque no consigue romper la oscuridad. ¿Qué sentirá el viejo? ¿Qué imágenes atraviesan su cerebro? ¿Recordará el día de la tragedia? ¿El rictus de terror impreso en los rostros de sus alumnos al caer al agua? ¿O sus miembros están concentrados en repasar aquel linchamiento inicial que lo convirtió en chivo expiatorio? Si es así, seguramente invoca valor y resignación para de nuevo afrontar la ira de San Buenaventura.

Ahora se reúnen en torno al quiosco, ocupan algunas bancas con actitud casual, fingiendo no percatarse del nerviosismo que los desborda, frotándose los brazos como si temblaran de frío cuando saben muy bien que es el miedo lo que los cimbra por dentro. Deben tenerlo. Se saludan graves, circunspectos, con la mirada sombría y una mueca de embarazo que sólo desaparecerá al sentirse multitud. Eso los volverá anónimos, los distanciará de los estorbosos escrúpulos y les devolverá el coraje y la fuerza. Mientras tanto, se avergüenzan de las trancas en las manos, de las herramientas para herir, de las antorchas todavía sin fuego. No se atreven a usar algo más peligroso. Nada con filo o punta. Pistolas y rifles, ni pensarlo. No se trata de matar; únicamente es un escarmiento: que Juan Manuel purgue en vida el crimen de cada uno de los niños que le ha quitado a San Buenaventura. Que sufra, que llegue al límite del dolor una y otra vez, pero sin morir. No podrían soportarlo. No aguantarían el peso de su muerte porque de ese modo ellos serían los asesinos y un crimen acarrea demasiada culpa.

La plaza no tardará en llenarse. El último grupo en llegar vendrá directo de la casa del agonizante, donde las curanderas habrán desgranado un sinfín de oraciones por la salvación de su alma. Los rumores son más nítidos y ya se elevan algunas voces. Han de estar dando lumbre a las antorchas. En cualquier momento se alzarán los aullidos, las provocaciones, los insultos; la procesión alumbrará la calle principal hasta el extremo del pueblo, y detrás de las ventanas se ocultarán los pusilánimes, los cobardes y los justos a contemplar el paso de la multitud. Don Rodrigo entre ellos. Irá en silencio a la puerta y al abrirla sentirá el frío de la noche. La entornará y desde ahí contemplará la marcha sin hacer ni decir nada, sin dedicar uno solo de sus pensamientos al viejo Juan Manuel, tratando de olvidar que una vez él también se sumó a esa venganza. Y sin embargo ahí seguirá, atento a la calle, y atento a la escalera para bloquearme la salida por si se me ocurre bajar. No debo meterme en las cosas del pueblo, me dirá. Al fin y al cabo no van a matarlo: su martirio es indispensable para expiar las culpas de todos. Vivirá para que lo sigan maldiciendo, para encarnar sus temores y sus odios.

El primer alarido, agudo y rasposo, brotó de una garganta de mujer y me desbocó el corazón dentro del pecho: una amenaza escalofriante que rasgó el aire y fue a rebotar en los picos de la sierra. Alguna de las curanderas, quizá, o la madre del niño enfermo. Al oírlo no pude sino pensar en un clarín marcando a los guerreros la hora de emprender la batalla y aniquilar al enemigo sin piedad. El eco vibró en el valle un par de segundos y enseguida fue acallado por los gritos de la muchedumbre. No alcanzo a descifrarlos, aunque sé lo que dicen: conjuros contra el diablo y los poderes infernales; insultos y mueras para el anciano. También él debe reconocerlos: el viento ha adelgazado la atmósfera y ahora los sonidos vuelan con libertad por el valle, por la hondonada, entre los árboles. Casi puedo ver su rostro en alto, alerta los oídos y la boca apretada, como un animal de presa a punto de la persecución. Las nubes abrieron un amplio hueco en el cielo y por ahí asoma un trozo de luna rojiza que vierte sus destellos cerca del nogalar. Un enorme fanal iluminando el escenario del rito. Me estremezco. Recuerdo las palabras de don Rodrigo: "Estos territorios aún son algo paganos..." Es verdad: la naturaleza se agrega a la representación.

Ya los pasos retumban semejantes a cascos de caballo, resueltos y uniformes. San Buenaventura se liberó del miedo que ahora debe penetrar la carne de Juan Manuel, preparándolo para el dolor. Están muy cerca de la casa de huéspedes. La gritería se ha convertido en un coro bestial, fantástico, que aturde el espacio y levanta un alboroto en el interior del bosque. Desde el frente debe ser visible el gusano de luces que mencionó Sebastián. Quiero ir hacia allá, pero espero en mi sitio la aparición del viejo en el área iluminada. Saldrá de un instante a otro, me digo mientras un escalofrío hace cortocircuito en mi columna vertebral. No huirá: los conoce mejor de lo que creen y por eso los ama y les perdona su ignorancia. En su figura deforme, en esa monstruosidad que arrastra por el bosque, por las orillas de la laguna, por las calles del pueblo, los lugareños ven al diablo y él lo sabe. Es su diablo: ellos lo crearon. Por eso se apersona en cuanto lo evocan, por eso no se larga y siempre está al alcance de su furia, aguardándolos para cuando lo necesiten. Por eso se deja atrapar y martirizar: para que en él venzan a los fantasmas que los atormentan. Hoy, como desde tantos años atrás, ahí estará para que San Buenaventura pueda inmolar en él la frustración y la impotencia.

La turba da vuelta en la casa de huéspedes y está a unos pasos del valle. Las voces llegan a mí con la violencia de azotes en el cráneo: muerte al hijo de Satanás, al asesino de nuestros niños. Don Rodrigo cierra de un portazo y a pesar del griterío escucho los campaneos de la aldaba. No sube a su cuarto, está seguro de que bajaré e intentará disuadirme. Afuera las nubes se han esfumado con una velocidad increíble y la luna roja derrama en el cielo un resplandor tenue que no obstante apaga las estrellas. Hay movimiento en el nogalar: una sombra se desplaza rumbo a la hondonada al tiempo que la primera antorcha irrumpe en mi campo de visión. El viejo Juan Manuel prosigue su camino, impasible, remolcando su cojera entre raíces y guijarros, pero en su actitud hay algo de altivez, como si se supiera un ser superior en la ruta de la gloria. Penetra el ruedo de luz, echa una mirada a las alturas y disminuye su marcha. Ahora piensa en Apolonia, me digo, mas me distrae el gusano en llamas que enfila hacia su presa. El griterío arrecia y cruzan el aire algunas piedras que impactan cerca del anciano, quien ha llegado a los linderos entre el nogalar y la hondonada y los espera de pie, resignado, clavando en sus verdugos su única pupila.

No puedo moverme, ni despegar los ojos de la escena. Mi cuerpo se sacude junto con el de Juan Manuel cuando una pedrada encuentra blanco en las costillas. Quiero correr, pero mis piernas se niegan a moverse. Algo que no comprendo me sujeta la cabeza y me impide cerrar los párpados y contemplo con espanto cómo un hombre se adelanta y quiebra como caña al viejo con un garrotazo a media espalda. No cae al suelo porque otro golpe lo recibe de frente, obligándolo a mantenerse erguido por unos segundos. El temblor de mis manos tamborilea en el quicio de la ventana. Creo que también estoy a punto de quebrarme en el momento en el que Juan Manuel desaparece enmedio de la multitud y sólo puedo ver los garrotes que suben y bajan en torno suyo cada vez con más saña. Entonces abandono mi cuarto y bajo a saltos la escalera. La sangre burbujea en mis venas, me nubla la vista y siento el cuerpo trepidar con cada paso, con cada respiración. Al llegar a la planta baja me topo con el rostro severo de don Rodrigo. Monta guardia frente a la puerta y su mirada es un reproche, una advertencia.

–No lo haga –me dice–. Se va a meter en un problema.

–Déjeme pasar, don Rodrigo.

–No, profesor –sus manos me aferran de los hombros–. Éste no es asunto suyo.

Lo aparto bruscamente y me lanzo sobre la aldaba. Mis manos carecen de control y los dedos se hacen bolas con el garfio pasador que asegura el mecanismo. En ese instante creo escuchar el suplicio del anciano: son unos lamentos horrorosos que opacan los gritos de la turba. Exasperado, me vuelvo hacia don Rodrigo y mi voz es un chillido histérico:

–¡Escúchelo, por Dios! ¡Oiga lo que le hacen! ¿Cómo puede quedarse así como si nada pasara? ¡Maldito cobarde! ¿Cómo puede permitirlo?

Por un instante la vergüenza le explota en el pecho y se le derrama frente a mí. Los ojos bajos y sin decir palabra, don Rodrigo desengancha el garfio y él mismo abre la puerta. Una ventolera gélida atempera el ardor de mi cuerpo. La calle está vacía, pero detrás de la casa de huéspedes los insultos y los bramidos de dolor se elevan a un volumen que me eriza los pelos y me hace perder la firmeza en las piernas. Ya déjenlo, por favor, suplico internamente. Intento correr, y por momentos las pisadas torpes sofocan en mis oídos el griterío. Al dar vuelta para rodear la casa de huéspedes mi humanidad se estrella con uno de los lugareños en retirada. Logro mantenerme en pie y reanudo la carrera ignorando los reclamos del tipo. La noche se despliega hermosa y el aire esparce perfumes de yerba impregnada de rocío, madera, estiércol. Sin embargo el aquelarre de gritos y lamentos configura un concierto infernal.

Llego al valle con un intenso cansancio a cuestas. Conforme me acerco a la hondonada, el escándalo comienza a decrecer. Ya lo jodieron, pienso y aminoro el paso, de por sí vacilante, para buscar al viejo entre la multitud. La luz de las antorchas les da un aspecto siniestro: les resplandecen los ojos, el sudor abrillanta su piel, algunos lucen manchas de tizne, otros de sangre. Se palpan entre ellos y sonríen, pero hay algo amargo en esas sonrisas, como si ahora les urgiera dispersarse, volver a sus hogares. Deambulo entre ellos y los que reparan en mí esquivan la mirada sorprendidos. En un corrillo, varios hombres hacen circular una botella y beben a grandes tragos. Distingo al grueso de la muchedumbre en dirección al nogalar. El anciano debe estar por ahí. En el trayecto escucho el comentario de un muchacho muy joven:

–Correoso el pinche viejo, ¿no? Cómo aguanta...

No ha muerto, me digo, y esa certeza hace que mi piel se escalde como si le brotaran miles de ampollas. Aguzo la vista para tratar de encontrarlo entre las piernas de la turba, mas a causa de la penumbra, las piedras y los matorrales resultan engañosos. La caterva se disuelve con lentitud, y yo permanezco quieto, hasta que un gemido endeble, como el balbuceo de un moribundo, me indica el camino. Aún lo circunda una masa más o menos numerosa, aunque han dejado de golpearlo. Dos ancianas, a quienes supongo curanderas de San Buenaventura, asperjan su cuerpo con el agua aromática de una botella mientras trazan una serie de signos en el aire. Luego dibujan la señal de la cruz y dan media vuelta para retirarse. Me acerco despacio, y al cruzarme con las viejas me miran de arriba a abajo. Una de ellas murmura a la otra un par de palabras y ésta le responde: "Sí, el maestrito".

No hago caso pues acabo de llegar junto a Juan Manuel. Su cuerpo es un amasijo de miembros ondulantes. Su rostro no parece humano: los rasgos han cambiado de sitio; el único ojo, la nariz y la boca se le confunden con nuevos cortes y hendiduras. La parte superior del cráneo está en carne viva y el cuero cabelludo cuelga de la nuca semejante a la cola de una zorra. Aparto la vista de él apretando mandíbulas y puños, y la escondo en la espesura de los árboles. Vuelvo la cabeza hacia el pueblo y con la mirada perdida veo a los últimos lugareños que abandonan el valle. Un tropel de preguntas se apelmaza en mi cerebro en tanto hago esfuerzos por dominar el llanto, el grito que se gesta dolorosamente dentro de mi estómago y me dobla poco a poco hasta tocar tierra.

Pasan varios minutos sin que pueda moverme: lo sé porque, cuando reacciono, a través de las lágrimas observo al anciano reptando como un lagarto entre los nogales. No hay ni una antorcha encendida en el valle; no se oyen voces. Estamos solos bajo la roja luz de la luna. El viejo se ayuda con las bases de los troncos, toma impulso de las raíces salientes. Ha dejado sobre la yerba un rastro que hiede a sangre, a chamusquina, a orines, y gracias a él me guío en su ruta hacia el bosque.

–Juan Manuel –digo, y mi voz apenas traspasa la barrera que me entume la garganta.

El viejo no parece escucharme, pero en cuanto me acerco imprime más premura a sus movimientos. Sólo de ver el daño en su cuerpo, los trabajos que pasa para avanzar entre las piedras, puedo sentir su dolor. Emito una queja por él y, en respuesta, un lobo aúlla a lo lejos y desencadena el aleteo de un ave. El bosque despierta para recibir en su seno a Juan Manuel, quien ahora fuerza una de las rodillas y la apoya en el suelo. Gatea penosamente y me hace pensar en un animal lleno de pavor, abandonado a su instinto para intentar sobrevivir.

–Juan Manuel –insisto–. Soy yo, quiero ayudarlo.

El anciano huye de mí igual que de cualquiera de sus perseguidores. Lo comprendo al verlo forzar la otra rodilla, hundirla en la tierra húmeda y adelantar dando tumbos, chocando una y otra vez con troncos y matorrales. La noche se revuelve en rumores. Una fiera gruñe y algunos pájaros nerviosos levantan el vuelo cerca de nosotros. A mi alrededor creo ver ojos atónitos que me acechan entre las sombras, y los ignoro para continuar tras el viejo. Sigo su tormento, su olor a carne chamuscada, sus jadeos y gemidos, el rasguñar de sus uñas en el suelo. El resplandor de la luna por encima de las copas es más púrpura que nunca, y trae a mi recuerdo el sangriento ocaso de unas horas antes. Somos piezas de una trama urdida por el lado oscuro de la naturaleza, me digo, y el canto de una lechuza cunde en todos los rincones. La luz rojiza parece incendiar los árboles, marchita los arbustos, cubre de oro las rocas y ahonda las distancias, dando al bosque entero un aspecto sobrenatural. Ahora alumbra con claroscuros el cuerpo del viejo, que por fin se ha detenido al no poder sortear un gran tronco derribado. En el revoltijo de su rostro adivino un ojo que me mira loco de terror, y de su garganta sale una voz aflautada, silbante:

–¡No me pegue! ¡Váyase!

No le dejaron nada, pienso lleno de compasión, y esquivo una maraña de raíces artríticas para llegar hasta él. En ese instante resbalo a causa del limo y en la caída me golpeo el rostro con algo durísimo. Algo se revienta dentro de mi cabeza y por unos instantes soy el centro de un remolino de chispas. Cuando logro enfocar la mirada veo que me golpeé con una piedra blanca, lisa, redonda, como un huevo gigante. Mi sangre escurre por la superficie y pienso en las manchas que decoran el rostro de la luna. Apolonia, me digo y volteo hacia el anciano: parece descansar recargado en el tronco con la pupila fija en mí. Su pecho se contrae delatando una respiración agitada y la boca amorfa, entreabierta, no deja de sisear.

Al levantarme mis oídos zumban y una película viscosa me cubre la mirada. A derecha e izquierda danzan árboles cobrizos, negros, leprosos, con las ramas revueltas semejantes a alambres de púas. El aire bufa entre ellos y provoca la fuga de las bestias y los pájaros. El viejo ha dejado caer los brazos a sus flancos y una de sus manos hunde los dedos en la tierra. Extiende las piernas y entonces puedo advertir en ellas las fracturas, los huesos en pedazos punzando la carne y la piel. Sus dolores deben ser insoportables, tanto que ya ni siquiera es capaz de gemir.

Con la mente turbia, sin pensamientos, acosada por una serie de imágenes siniestras como las escorias atraídas a un desagüe, alzo la piedra con las dos manos, sorprendido de poder con ella. Sin sentir su peso, recorro la distancia que me separa del anciano y en torno de nosotros los rumores aumentan hasta el vértigo. Juan Manuel no se mueve, no suplica, únicamente continúa mirándome con esa pupila sumida en la hinchazón de la carne. Sólo quiero ayudarlo, repito mientras levanto la piedra y la estrello contra su cráneo una y otra vez enmedio de un estrepitoso graznar de aves, ramalazos, chiflones de viento y un estertor débil que se apaga poco a poco. Agotado, doy un paso atrás y a la luz de la luna observo la piedra donde ahora se confunden su sangre y la mía. La suelto y cae a tierra con un porrazo sordo. Rueda unos centímetros, y cuando se detiene junto al cadáver del viejo me doy cuenta de que el silencio ha vuelto a reinar en el bosque y, a los lejos, San Buenaventura descansa en paz.

Fotocomposición: Alba Rojo
Impresión: Programas Educativos, S. A. de C. V.
Calz. Chabacano 65-A, 06850 México, D. F. Empresa certificada por el Instituto Mexicano de Normalización y Certificación, A. C., bajo la norma ISO-9002: 1994/NMX-CC-04: 1995 con el número de registro RSC-048, e ISO-14001: 1996/NMX-SAA-001: 1998 IMNC con el número de registro RSAA-003
22-VI-2001

El cuento en Biblioteca Era

José Joaquín Blanco
El Castigador

Nellie Campobello
Cartucho. Relatos de la lucha en el norte de México

Rosario Castellanos
Los convidados de agosto

Carlos Chimal
Cinco del águila

Carlos Fuentes
Los días enmascarados

Eduardo Galeano
Días y noches de amor y de guerra

Ana García Bergua
El imaginador

Juan García Ponce
La noche

José Luis González
La galería

Héctor Manjarrez
No todos los hombres son románticos
Ya casi no tengo rostro

Miguel Méndez
Que no mueran los sueños

Carlos Monsiváis
Nuevo catecismo para indios remisos

Augusto Monterroso
La Oveja negra y demás fábulas
Obras completas (y otros cuentos)

José Emilio Pacheco
El viento distante
La sangre de Medusa
El principio del placer

Eduardo Antonio Parra
Los límites de la noche
Tierra de nadie

Armando Pereira
Amanecer en el desierto

Sergio Pitol
Vals de Mefisto
Cuerpo presente

Elena Poniatowska
De noche vienes

José Revueltas
La palabra sagrada. Antología

Juan Rulfo
Antología personal